MAIGRET
ET LES VIEILLARDS

GEORGES SIMENON

MAIGRET ET LES VIEILLARDS

roman

PRESSES DE LA CITÉ
PARIS

© *1960 by Georges Simenon.*

Tous droits de reproduction, de traduction et d'adaptation réservés pour tous pays, y compris l'U.R.S.S.

ISBN 2-258-00235-4

CHAPITRE PREMIER

C'ETAIT UN DE ces mois de mai exceptionnels comme on n'en connaît que deux ou trois dans sa vie et qui ont la luminosité, le goût, l'odeur des souvenirs d'enfance. Maigret disait un mois de mai de cantique, car cela lui rappelait à la fois sa première communion et son premier printemps de Paris, quand tout était pour lui nouveau et merveilleux.

Dans la rue, dans l'autobus, dans son bureau, il lui arrivait de tomber en arrêt, frappé par un son lointain, par une bouffée d'air tiède, par la tache claire d'un corsage qui le reportaient à vingt ou trente ans en arrière.

La veille, au moment d'aller dîner avec les Pardon, sa femme lui avait demandé, presque rougissante :

« — Je ne suis pas trop ridicule, à mon âge, dans une robe à fleurs ? »

Leurs amis Pardon, ce soir-là, avaient innové. Au lieu de les inviter chez eux, ils avaient emmené les Maigret dans un petit restaurant du boulevard du Montparnasse où tous les quatre avaient dîné à la terrasse.

Maigret et sa femme, sans rien dire, avaient échangé des regards complices, car c'était à cette terrasse que, près de trente ans auparavant, ils avaient pris leur premier repas en tête à tête.

« — Il y a du ragoût de mouton ? »

Les patrons avaient changé, mais il y avait toujours du ragoût de mouton à la carte, des lampes mal d'aplomb sur les tables, des plantes vertes dans des baquets et du Chavignol en carafe.

Ils étaient tous les quatre très gais. Au café, Pardon avait tiré de sa poche une revue à couverture blanche.

« — Au fait, Maigret, on parle de vous dans le *Lancet*. »

Le commissaire, qui connaissait de nom la célèbre et très austère revue médicale anglaise, avait froncé les sourcils.

« — Je veux dire qu'on parle de votre profession en général. L'article est d'un certain docteur Richard Fox et je vous traduis plus ou moins littéralement le passage qui vous intéresse.

« *Un psychiatre avisé, s'appuyant sur ses connaissances scientifiques et sur l'expérience de son cabinet, est assez bien placé pour comprendre les hommes. Cependant, il est possible, surtout s'il se laisse influencer par la théorie, qu'il les comprenne moins bien qu'un maître d'école exceptionnel, qu'un romancier, ou même qu'un policier. »*

Ils en avaient parlé un certain temps, tantôt en plaisantant, tantôt sur un ton plus sérieux. Les Maigret avaient ensuite fait une partie du chemin à pied le long des rues silencieuses.

Le commissaire ne savait pas encore que cette phrase du médecin londonien allait lui revenir plusieurs fois à la mémoire pendant les prochains jours, ni que les souvenirs remués en lui par ce parfait mois de mai lui apparaîtraient presque comme une prémonition.

Le lendemain encore, dans l'autobus qui l'emmenait vers le Châtelet, il lui arrivait de regarder les visages avec la même curiosité que quand il était tout nouveau dans la capitale.

Et cela lui semblait curieux de monter l'escalier de la P.J. en tant que commissaire divisionnaire, de recevoir en chemin des saluts respectueux. Y avait-il si longtemps qu'il était entré, tout ému, dans cette maison dont les chefs lui apparaissaient encore comme des êtres légendaires ?

Il se sentait à la fois léger et mélancolique. La fenêtre ouverte, il dépouillait son courrier, appelait le jeune Lapointe pour lui donner des instructions.

En vingt-cinq ans, la Seine n'avait pas changé, ni les bateaux qui passaient, ni les pêcheurs à la ligne qu'on retrouvait aux mêmes endroits comme s'ils n'en avaient pas bougé.

Fumant sa pipe à petites bouffées, il faisait son ménage, comme il disait, débarrassant le bureau des dossiers qui s'y empilaient, liquidant des affaires sans importance, quand le téléphone sonna.

— Vous pouvez venir me voir un moment, Maigret ? demandait le directeur.

Le commissaire se dirigeait sans se presser vers le bureau du grand patron, restait debout près de la fenêtre.

— Je viens de recevoir un curieux coup de téléphone du Quai d'Orsay. Pas du ministre des Affaires étrangères en personne, mais de son chef de cabinet. On me demande d'envoyer là-bas, de toute urgence, une personne habilitée à prendre des responsabilités. Ce sont les mots dont on s'est servi.

« — Un inspecteur ? ai-je questionné.

« — Il vaudrait mieux que ce soit quelqu'un de plus important. Il s'agit probablement d'un crime. »

Les deux hommes se regardaient, un rien de malice dans les yeux, car ni l'un ni l'autre n'appréciaient les ministères et encore moins un ministère aussi guindé que celui des Affaires étrangères.

10

— J'ai pensé que vous voudriez y aller vous-même...

— C'est peut-être préférable...

Le directeur saisissait un papier sur son bureau et le tendait à Maigret.

— Vous devez demander un certain M. Cromières. Il vous attend.

— C'est le chef de cabinet ?

— Non. C'est la personne qui s'occupe de l'affaire.

— J'emmène un inspecteur avec moi ?

— Je ne sais rien de plus que ce que je viens de vous dire. Ces gens-là aiment rester mystérieux.

Maigret finit par emmener Janvier et tous les deux prirent un taxi. Quai d'Orsay, on ne le dirigea pas vers le grand escalier mais, au fond de la cour, vers un escalier étroit et peu engageant, comme si on les faisait passer par les coulisses ou par l'entrée de service. Ils errèrent un bon moment dans les couloirs avant de découvrir un salon d'attente et un huissier à chaîne, indifférent au nom de Maigret, lui fit remplir une fiche.

Enfin on les conduisit dans un bureau où un fonctionnaire, très jeune, tiré à quatre épingles, se tenait immobile et silencieux en face d'une vieille femme aussi impassible que lui. On avait l'impression qu'ils attendaient ainsi depuis longtemps, probablement depuis le coup de téléphone du Quai d'Orsay à la P.J.

— Commissaire Maigret ?

Celui-ci présentait Janvier, à qui le jeune homme n'accordait qu'un coup d'œil lointain.

— Ne sachant pas de quoi il s'agissait, je me suis fait accompagner à tout hasard par un de mes inspecteurs...

— Asseyez-vous.

Le Cromières tenait avant tout à se donner un air important et il y avait dans sa façon de parler une condescendance très « Affaires étrangères ».

— Si le Quai s'est adressé directement à la P.J...

Il prononçait le mot « Quai » comme s'il s'agissait d'une institution sacro-sainte.

— ... C'est que, monsieur le commissaire, nous nous trouvons en présence d'un cas assez particulier...

Tout en l'observant, Maigret observait aussi la vieille femme qui devait être sourde d'une oreille, car elle tendait le cou pour mieux entendre, la tête penchée, attentive aux mouvements des lèvres.

— Mademoiselle...

Cromières consultait une fiche sur son bureau.

— Mlle Larrieu est la domestique, ou la gouvernante, d'un de nos anciens ambassadeurs les plus distingués, le comte de Saint-Hilaire, dont vous avez certainement entendu parler...

Maigret se souvenait du nom pour l'avoir

lu dans les journaux, mais cela lui semblait remonter à une époque très reculée.

— Depuis qu'il a pris sa retraite, il y a une douzaine d'années, le comte de Saint-Hilaire vivait à Paris, dans son appartement de la rue Saint-Dominique. Ce matin, Mlle Larrieu s'est présentée ici à huit heures et demie et a dû attendre un certain temps avant d'être mise en présence d'un fonctionnaire responsable.

Maigret imaginait les bureaux vides, à huit heures et demie du matin, la vieille femme immobile dans l'antichambre, le regard fixé sur la porte.

— Mlle Larrieu est au service du comte de Saint-Hilaire depuis plus de quarante ans.

— Quarante-six, corrigea-t-elle.

— Quarante-six, soit. Elle l'a suivi dans ses différents postes et elle s'occupait de sa maison. Pendant les douze dernières années, elle était seule à vivre avec l'ambassadeur dans l'appartement de la rue Saint-Dominique. C'est là que, ce matin, après avoir trouvé vide la chambre à coucher où elle portait le petit déjeuner de son maître, elle a découvert celui-ci, mort, dans son bureau.

La vieille femme les regardait tour à tour, les yeux vifs, scrutateurs et méfiants.

— D'après elle, Saint-Hilaire aurait été atteint d'une ou de plusieurs balles.

— Elle ne s'est pas adressée à la police ?

13

Le jeune homme blond prenait un air suffisant.

— Je comprends votre étonnement. N'oubliez pas que Mlle Larrieu a vécu une grande partie de sa vie dans le monde diplomatique. Si le comte n'était plus en activité, elle n'en a pas moins pensé que, dans la Carrière, il existe certaines règles de discrétion...

Maigret adressa un clin d'œil à Janvier.

— L'idée ne lui est pas venue non plus d'appeler un médecin ?

— Il paraît que la mort ne fait aucun doute.

— Qui est rue Saint-Dominique en ce moment ?

— Personne. Mlle Larrieu est venue ici directement. Afin d'éviter toute équivoque et toute perte de temps, je suis autorisé à vous affirmer que le comte de Saint-Hilaire n'était en possession d'aucun secret d'Etat et qu'il ne faut pas chercher de cause politique à sa mort. Une extrême prudence n'en est pas moins indispensable. Lorsqu'il s'agit d'un homme en vue, surtout s'il a appartenu à la Carrière, les journaux n'ont que trop tendance à donner du retentissement à l'affaire et à émettre les hypothèses les plus invraisemblables...

Le jeune homme se levait.

— Si vous le voulez bien à présent, nous irons là-bas.

— Vous aussi ? questionna Maigret sur un ton d'innocence.

— Ne craignez rien. Je n'ai pas l'intention d'intervenir dans votre enquête. Si je vous accompagne, c'est pour m'assurer qu'il n'y a rien, sur les lieux, de susceptible de nous embarrasser.

La vieille femme s'était levée aussi. Tous les quatre descendaient l'escalier.

— Il vaudra mieux prendre un taxi, plus discret qu'une limousine du Quai...

Le chemin était ridiculement court. L'auto s'arrêtait devant un immeuble imposant de la fin du XVIIIe siècle devant lequel il n'y avait aucun rassemblement, aucun curieux. Sous la voûte, une fois la porte cochère franchie, il faisait frais et on apercevait, dans ce qui ressemblait plus à un salon qu'à une loge, un concierge en uniforme aussi imposant que l'huissier du ministère.

Ils montèrent quatre marches, à gauche. L'ascenseur était immobile, dans un hall de marbre sombre. La vieille femme tirait une clef de son sac, ouvrait une porte de noyer.

— Par ici...

Elle les conduisait, le long d'un couloir, jusqu'à une pièce qui devait donner sur la cour mais dont les volets et les rideaux étaient fermés. Ce fut Mlle Larrieu qui tourna le commutateur électrique et, au pied d'un bureau d'acajou, ils aperçurent un corps étendu sur le tapis rouge.

Les trois hommes retiraient leur chapeau

d'un même geste, tandis que la vieille domestique les regardait avec une sorte de défi.

« Qu'est-ce que je vous avais dit ? » semblait-elle grommeler.

Il n'était pas besoin de se pencher sur le corps, en effet, pour savoir que le comte de Saint-Hilaire était bien mort. Une balle avait pénétré par l'œil droit, faisant éclater la boîte crânienne et, à en juger par les déchirures de la robe de chambre en velours noir et par les taches de sang, d'autres projectiles avaient atteint le corps en plusieurs endroits.

M. Cromières, le premier, s'approcha du bureau.

— Vous voyez. Il était occupé, semble-t-il, à corriger des épreuves...

— Il écrivait un livre ?

— Ses mémoires. Deux volumes ont déjà paru. Il serait ridicule d'y chercher la cause de sa mort, car Saint-Hilaire était le plus discret des hommes et ses mémoires avaient un tour plus littéraire et pittoresque que politique.

Cromières faisait des phrases, s'écoutait parler et Maigret commençait à s'irriter. Ils étaient là, à quatre, dans une pièce aux volets fermés, à dix heures du matin, alors que le soleil brillait dehors, à regarder un vieillard désarticulé et sanguinolent.

— Je suppose, grogna le commissaire non

sans ironie, que cela regarde quand même le Parquet ?

Il y avait un appareil téléphonique sur le bureau, mais il préféra ne pas y toucher.

— Janvier, va donc téléphoner de la loge. Alerte le Parquet et le commissaire de police du quartier...

La vieille les regardait l'un après l'autre comme si elle avait pour mission de les surveiller. Ses yeux étaient durs, sans sympathie, sans chaleur humaine.

— Qu'est-ce que vous faites ? s'interposa Maigret en voyant l'homme du Quai d'Orsay ouvrir les portes d'une bibliothèque.

— Je jette un coup d'œil...

Il ajouta, avec une assurance déplaisante chez un garçon de son âge :

— Mon rôle est de m'assurer, malgré tout, qu'il n'y a pas ici des papiers dont la divulgation serait inopportune...

Etait-il si jeune qu'il le paraissait ? A quel service appartenait-il au juste ? Sans attendre l'assentiment du commissaire, il examinait le contenu de la bibliothèque, ouvrait des dossiers qu'il remettait en place les uns après les autres.

Pendant ce temps, Maigret allait et venait, impatient, de mauvais poil.

Cromières s'attaquait aux autres meubles, aux tiroirs, et la vieille femme se tenait toujours debout près de la porte, le chapeau sur la tête, son sac à la main.

— Voulez-vous me conduire dans sa chambre ?

Elle précéda l'homme du Quai, tandis que Maigret restait dans le bureau où Janvier ne tarda pas à le rejoindre.

— Où sont-ils ?

— Dans la chambre à coucher...

— Qu'est-ce que nous faisons ?

— Pour le moment, rien. J'attends que ce monsieur veuille bien nous laisser la place.

Ce n'était pas seulement lui qui irritait le commissaire. C'était aussi la façon dont l'affaire se présentait et peut-être, surtout, le milieu peu familier dans lequel il se trouvait soudain plongé.

— Le commissaire de police sera ici dans un moment.

— Tu lui as dit de quoi il s'agit ?

— Je lui ai seulement demandé d'amener le médecin de l'état civil.

— Tu as téléphoné à l'Identité Judiciaire ?

— Moers se met en route avec ses hommes.

— Et le Parquet ?

— Aussi.

Le bureau était spacieux, confortable. S'il n'avait rien de solennel, on y sentait un raffinement qui avait frappé le commissaire dès son entrée. Chaque meuble, chaque objet était beau en lui-même. Et le vieillard, par terre, le haut de la tête presque arraché, gardait, dans ce cadre, assez grande allure.

Cromières revenait, suivi de la vieille gouvernante.

— Je pense que je n'ai plus rien à faire ici. Une fois encore, je vous recommande la prudence et la discrétion. Il ne peut s'agir d'un suicide, puisqu'il n'y a aucune arme dans la pièce. Nous sommes bien d'accord là-dessus ? Y a-t-il eu vol, c'est ce que je vous laisse à découvrir. De toute façon, il serait désagréable que la presse fasse du bruit autour de cette affaire...

Maigret le regardait en silence.

— Je vous téléphonerai, si vous le voulez bien, pour prendre des nouvelles, poursuivait le jeune homme. Il se peut que vous ayez besoin de renseignements et vous pourrez toujours vous adresser à moi.

— Merci.

— Dans une commode de la chambre à coucher, vous trouverez un certain nombre de lettres qui vous étonneront sans doute. C'est une vieille histoire, que tout le monde connaît au Quai d'Orsay, et qui n'a rien à voir avec le drame d'aujourd'hui.

Il s'en allait à regret.

— Je compte sur vous...

La vieille Larrieu le suivait pour refermer la porte derrière lui et on la revoyait un peu plus tard sans chapeau ni sac à main. Elle ne venait pas se mettre à la disposition du commissaire, mais plutôt surveiller les deux hommes.

— Vous dormez dans l'appartement ?

Au moment où Maigret lui parlait, elle ne le regardait pas et elle sembla ne pas avoir entendu. Il répéta sa question, d'une voix plus forte. Cette fois, elle pencha la tête, tendant sa bonne oreille.

— Oui. J'ai une petite chambre, derrière la cuisine.

— Il n'y a pas d'autres domestiques ?

— Pas ici, non.

— C'est vous qui faites le ménage et la cuisine ?

— Oui.

— Quel âge avez-vous ?

— Soixante-treize.

— Et le comte de Saint-Hilaire ?

— Soixante-dix-sept.

— A quelle heure l'avez-vous quitté, hier soir ?

— Vers dix heures.

— Il se tenait dans ce bureau ?

— Oui.

— Il n'attendait personne ?

— Il ne me l'a pas dit.

— Il recevait parfois le soir ?

— Son neveu.

— Où habite son neveu ?

— Rue Jacob. Il est antiquaire.

— Il s'appelle Saint-Hilaire aussi ?

— Non. C'est le fils de la sœur de monsieur. Il s'appelle Mazeron.

— Tu prends note, Janvier ?

« Ce matin, quand vous avez découvert

20

le corps... Car c'est bien ce matin que vous l'avez découvert, n'est-ce pas ? »

— Oui. A huit heures.

— Vous n'avez pas eu l'idée de téléphoner à M. Mazeron ?

— Non.

— Pourquoi ?

Elle ne répondit pas. Elle avait l'œil fixe de certains oiseaux et, comme certains oiseaux aussi, il lui arrivait de rester perchée sur une seule jambe.

— Vous ne l'aimez pas ?

— Qui ?

— M. Mazeron ?

— Cela ne me regarde pas.

Maigret savait maintenant qu'avec elle tout serait difficile.

— Qu'est-ce qui ne vous regarde pas ?

— Les affaires de famille.

— Le neveu ne s'entendait pas avec son oncle ?

— Je n'ai pas dit ça.

— Ils s'entendaient bien ? *hear se entendre get along*

— Je ne sais pas.

— Qu'avez-vous fait, hier, à dix heures du soir ?

— Je suis allée me coucher.

— A quelle heure vous êtes-vous levée ?

— A six heures, comme d'habitude.

— Et vous n'avez pas mis les pieds dans cette pièce ?

— Je n'avais rien à y faire.

— La porte en était fermée ?

21

— Si elle avait été ouverte, j'aurais tout de suite remarqué qu'il s'était passé quelque chose.

— Pourquoi ?

— Parce que les lampes étaient restées allumées.

— Comme maintenant ?

— Non. Le plafonnier n'était pas allumé. Seulement la lampe du bureau et la lampe sur pied dans ce coin.

— Qu'avez-vous fait, à six heures ?

— D'abord ma toilette.

— Ensuite ?

— J'ai nettoyé ma cuisine et je suis allée acheter des croissants.

— L'appartement est resté vide pendant ce temps-là ?

— Comme chaque matin.

— Ensuite ?

— J'ai préparé du café, j'ai mangé, et enfin je me suis dirigée vers la chambre à coucher avec le plateau. tray

— Le lit était défait ?

— Non.

— Il y avait du désordre ?

— Non.

— Hier soir, quand vous l'avez quitté, le comte portait cette robe de chambre noire ?

— Comme tous les soirs quand il ne sortait pas.

— Il sortait souvent ?

— Il aimait bien le cinéma.

— Il recevait des amis ?

22

— Presque jamais. De temps en temps, il allait déjeuner en ville.

— Vous connaissez les noms des gens qu'il rencontrait ?

— Cela ne me regarde pas.

On sonnait à la porte. C'était le commissaire du quartier, accompagné de son secrétaire. Il regarda le bureau avec surprise, puis la vieille, enfin Maigret, à qui il serra la main.

— Comment se fait-il que vous soyez ici avant nous ? C'est elle qui vous a téléphoné ?

— Même pas. Elle s'est rendue au Quai d'Orsay. Vous connaissez la victime ?

— C'est l'ancien ambassadeur, n'est-ce pas ? Je le connais de nom et de vue. Chaque matin il se promenait dans le quartier. Qui est-ce qui a fait ça ?

— On ne sait encore rien. J'attends le Parquet.

— Le médecin de l'état civil arrive tout de suite...

Personne ne touchait aux meubles ni aux objets. Il régnait un curieux malaise et ce fut un soulagement de voir arriver le médecin qui émit un petit sifflement en se penchant sur le corps.

— Je suppose que je ne peux pas le retourner avant l'arrivée des photographes ?

— Vous n'y touchez pas... Avez-vous une idée approximative de l'heure à laquelle il est mort ?

— Il y a un bout de temps... A première

vue, je dirais une dizaine d'heures... C'est curieux...

— Qu'est-ce qui est curieux ?

— Il semble qu'il ait reçu au moins quatre projectiles... Un ici... Un autre là...

A genoux, il examinait le corps de plus près.

— J'ignore ce qu'en pensera le médecin légiste. Pour ma part, je ne serais pas surpris que la première balle l'ait tué net et que, malgré ça, on ait continué à tirer. Remarquez que ce n'est qu'une hypothèse...

En moins de cinq minutes, l'appartement se remplit. Ce fut d'abord le Parquet, représenté par le substitut Pasquier et par un juge d'instruction que Maigret connaissait peu et qui s'appelait Urbain de Chézaud.

Le successeur du docteur Paul, le docteur Tudelle, les accompagnait. Presque tout de suite après, ce fut l'envahissement par les spécialistes de l'Identité Judiciaire et leurs appareils encombrants.

— Qui a découvert le corps ?

— La gouvernante.

Maigret désignait la vieille femme qui, sans émotion apparente, continuait à surveiller les faits et gestes de chacun.

— Vous l'avez questionnée ?

— Pas encore. J'ai juste échangé quelques mots avec elle.

— Elle sait quelque chose ?

— Si oui, ce ne sera pas facile de la faire parler.

Il raconta l'histoire du ministère des Affaires étrangères.

— Il y a eu vol ?

— A première vue, non. J'attends que l'Identité Judiciaire ait fini son travail pour m'en assurer.

— De la famille ?

— Un neveu.

— On l'a averti ?

— Pas encore. J'ai l'intention, pendant que mes hommes travaillent, d'aller moi-même le mettre au courant. Il habite à deux pas d'ici, rue Jacob.

Maigret aurait pu téléphoner à l'antiquaire pour le prier de venir, mais il préférait le rencontrer dans son cadre.

— Si vous n'avez plus besoin de moi, j'y vais à l'instant. Toi, Janvier, tu restes ici...

C'était un soulagement de retrouver la lumière du jour, les taches de soleil sous les arbres du boulevard Saint-Germain. L'air était tiède, les femmes vêtues de clair et une arroseuse municipale mouillait lentement la moitié de la chaussée.

Il trouva sans peine, rue Jacob, la boutique d'antiquités dont une des vitrines ne contenait que des armes anciennes, surtout des sabres. Il poussa la porte, faisant ainsi tinter une sonnette, et il se passa deux ou trois minutes avant qu'un homme sorte de l'ombre.

Puisque l'oncle avait soixante-dix-sept ans, Maigret ne pouvait s'attendre à ce que le neveu soit un jeune homme. Il n'en fut pas moins surpris de se trouver en face d'une sorte de vieillard.

— Vous désirez ?

Il avait un long visage pâle, des sourcils broussailleux, le crâne presque chauve et ses vêtements flottants le faisaient paraître plus maigre qu'il n'était.

— Vous êtes M. Mazeron ?

— Alain Mazeron, oui.

D'autres armes encombraient la boutique : des mousquets, des tromblons et, tout au fond, deux armures.

— Commissaire Maigret, de la Police Judiciaire.

Les sourcils se rejoignaient. Mazeron essayait de comprendre.

— Vous êtes, n'est-ce pas, le neveu du comte de Saint-Hilaire.

— C'est mon oncle, oui. Pourquoi ?

— Quand l'avez-vous vu pour la dernière fois ?

Il répondit sans hésiter :

— Avant-hier.

— Vous avez de la famille ?

— Je suis marié et j'ai des enfants.

— Votre oncle, lorsque vous l'avez vu avant-hier, vous a paru dans son état normal ?

— Oui. Il était même assez gai. Pourquoi me posez-vous cette question ?

— Parce qu'il est mort.

Maigret retrouvait dans les yeux de son

interlocuteur la même méfiance que chez la vieille gouvernante.

— Il a eu un accident ?

— Dans un sens...

— Que voulez-vous dire ?

— Qu'il a été tué, la nuit dernière, dans son bureau, de plusieurs balles tirées par un revolver ou par un pistolet automatique.

Le visage de l'antiquaire exprimait l'incrédulité.

— Vous lui connaissiez des ennemis ?

— Non... Certainement pas...

Si Mazeron s'était contenté de dire non, Maigret n'y aurait pas pris garde. Le « certainement pas », qui venait un peu comme un correctif, lui fit dresser l'oreille.

— Vous n'avez aucune idée de qui peut avoir intérêt à la mort de votre oncle ?

— Non... Aucun intérêt...

— Il avait de la fortune ?

— Une assez petite fortune... Il vivait surtout de sa pension...

— Il venait parfois ici ?

— Parfois...

— Pour y déjeuner ou y dîner en famille ?

Mazeron semblait distrait, répondait du bout des lèvres, comme s'il pensait à autre chose.

— Non... Plutôt le matin, en faisant sa promenade...

— Il entrait pour bavarder avec vous ?...

— C'est cela. Il entrait, s'asseyait un moment...

— Vous alliez le voir chez lui ?

— De temps en temps...

— Avec votre famille ?

— Non...

— Vous avez des enfants, m'avez-vous dit ?

— Deux !... Deux filles...

— Vous habitez cet immeuble ?

— Au premier étage... Une de mes filles, l'aînée, est en Angleterre... La seconde, Marcelle, vit avec sa mère...

— Vous ne vivez pas avec votre femme ?

— Pas depuis quelques années...

— Vous êtes divorcés ?

— Non... C'est compliqué... Vous ne voulez pas que nous nous rendions chez mon oncle ?

Il allait chercher son chapeau dans la demi-obscurité de l'arrière-boutique, accrochait à la porte un écriteau annonçant qu'il était absent, la fermait à clef, suivait Maigret sur le trottoir.

— Vous savez comment c'est arrivé ? questionnait-il.

On le sentait soucieux, tracassé.

— Je ne sais à peu près rien.

— Il y a eu vol ?

— Je ne le pense pas. On n'a relevé aucun désordre dans l'appartement.

— Que dit Jaquette ?

— Vous parlez de la gouvernante ?

— Oui... C'est son prénom... J'ignore si

c'est celui de l'état civil, mais on l'a toujours appelée Jaquette...

— Vous ne l'aimez pas ?

— Pourquoi me demandez-vous ça ?

— Elle ne paraît pas vous aimer.

— Elle n'aime personne d'autre que mon oncle. Si cela n'avait tenu qu'à elle, nul ne serait jamais entré dans l'appartement.

— Vous croyez qu'elle aurait été capable de le tuer ?

Mazeron le regarda, étonné.

— Le tuer, elle ?

Visiblement, cela lui apparaissait comme l'idée la plus saugrenue. Et pourtant, après un moment, il se surprenait à réfléchir.

— Non !... Ce n'est pas possible...

— Vous avez eu une hésitation.

— A cause de sa jalousie...

— Vous voulez dire qu'elle l'aimait ?

— Elle n'a pas toujours été une vieille femme...

— Vous croyez qu'entre eux... ?

— C'est probable... Je n'oserais pas en jurer... Avec un homme comme mon oncle, il est difficile de savoir... Vous avez vu les photographies de Jaquette quand elle était jeune ?

— Je n'ai encore rien vu...

— Vous verrez... Tout cela est très compliqué... Surtout que cela se produit juste en ce moment...

— Qu'entendez-vous par là ?

Alain Mazeron regarda Maigret avec une sorte d'ennui et soupira :

— En somme, je vois que vous ne savez rien.

— Qu'est-ce que je devrais savoir ?

— Je me le demande... C'est une histoire embêtante... Vous avez trouvé les lettres ?

— Je commence mon enquête.

— Nous sommes bien mercredi ?

Maigret fit oui de la tête.

— Juste le jour de l'enterrement...

— L'enterrement de qui ?

— Du prince de V... Vous comprendrez quand vous aurez lu les lettres...

Au moment où ils atteignaient la rue Saint-Dominique, la voiture de l'Identité Judiciaire s'éloignait et Moers adressa à Maigret un salut de la main.

CHAPITRE II

— A QUOI PEN-
sez-vous, patron ?

Janvier fut surpris de l'effet produit par
cette question qu'il n'avait posée que pour
rompre un assez long silence. On aurait dit
que les mots n'atteignaient pas tout de suite
le cerveau de Maigret, qu'ils n'étaient que
des sons qu'il fallait arranger avant d'en
démêler le sens.

Le commissaire regardait son compagnon
avec des gros yeux vagues, l'air gêné,
comme s'il venait de laisser découvrir un de
ses secrets.

— A ces gens-là..., murmura-t-il.

Evidemment, il ne parlait pas de ceux qui
déjeunaient autour d'eux dans ce restaurant
de la rue de Bourgogne, mais des autres, de
ceux dont ils n'avaient jamais entendu

31

parler la veille et dont ils avaient aujourd'hui pour tâche de découvrir la vie secrète.

Chaque fois qu'il achetait un complet, un pardessus, des chaussures, Maigret les portait d'abord le soir pour se promener avec sa femme dans les rues du quartier ou pour aller au cinéma.

« — J'ai besoin de m'y habituer... », disait-il à Mme Maigret qui se moquait affectueusement de lui.

Il en était de même quand il se plongeait dans une nouvelle enquête. Les autres ne s'en apercevaient pas, à cause de sa silhouette massive, du calme de son visage qu'on prenait pour de l'assurance. En réalité, il passait par une période plus ou moins longue d'hésitation, de malaise, voire de timidité.

Il devait s'habituer à un cadre étranger, à une maison, à un genre de vie, à des gens qui avaient leurs habitudes, leur façon de penser et de s'exprimer.

Pour certaines catégories d'hommes, c'était relativement facile, par exemple pour les clients plus ou moins réguliers ou pour ceux qui leur ressemblaient.

Pour d'autres, il fallait, chaque fois, réapprendre, surtout qu'il se méfiait des règles et des idées toutes faites.

Dans le cas présent, il subissait un handicap supplémentaire. Il avait pris contact, ce matin, avec un milieu non seulement assez fermé mais qui, pour lui, à cause de son enfance, se trouvait placé sur un plan particulier.

Il se rendait compte que, tout le temps qu'il s'était trouvé rue Saint-Dominique, il n'avait pas montré son aisance habituelle ; il avait été gauche ; ses questions étaient réticentes, maladroites. Janvier l'avait-il remarqué ?

Si oui, Janvier n'avait certainement pas pensé que cela tenait à un lointain passé de Maigret, aux années vécues dans l'ombre d'un château dont son père était le régisseur et où, longtemps, le comte et la comtesse de Saint-Fiacre avaient été à ses yeux des êtres d'une essence particulière.

Les deux hommes avaient choisi, pour déjeuner, ce restaurant de la rue de Bourgogne, à cause de sa terrasse, et ils s'étaient vite aperçu que l'établissement était fréquenté par des fonctionnaires des ministères d'alentour, surtout de la présidence du Conseil, semblait-il, avec quelques officiers en civil qui appartenaient au ministère de la Guerre.

Ce n'étaient pas des employés quelconques. Tous avaient au moins le grade de chef de bureau et Maigret s'étonnait de les voir si jeunes. Leur assurance le surprenait aussi. A leur façon de parler, de se comporter, on les devinait sûrs d'eux-mêmes. Quelques-uns l'ayant reconnu et parlant de lui à voix basse, il s'irritait de leurs airs entendus et de leur ironie.

Les gens du Quai des Orfèvres, qui étaient des fonctionnaires aussi, donnaient-ils la même impression d'avoir la réponse à toutes les questions?

C'était à cela qu'il pensait au moment où Janvier l'avait tiré de sa rêverie. A la matinée, rue Saint-Dominique. Au mort, ce comte Armand de Saint-Hilaire, si longtemps ambassadeur, qui venait d'être assassiné à soixante-seize ans. A l'étrange Jaquette Larrieu et à ses petits yeux fixes qui le fouillaient au plus profond de lui-même pendant qu'elle l'écoutait, la tête penchée, attentive au mouvement de ses lèvres. A Alain Mazeron enfin, pâle et mou, solitaire dans sa boutique de la rue Jacob, parmi les sabres et les armures, que Maigret ne parvenait à rattacher à aucune catégorie classée.

Quels étaient les termes employés par le médecin anglais dans l'article du *Lancet*? Il ne les retrouvait pas. En gros, cela signifiait qu'un maître d'école exceptionnel, un romancier, un policier, sont mieux placés qu'un médecin ou un psychiatre pour aller au fond des hommes.

Pourquoi le policier venait-il en dernier, après le maître d'école et surtout le romancier?

Cela le vexait un peu. Il avait hâte, comme pour donner un démenti à l'auteur de l'article, de se sentir de plain-pied dans cette affaire.

Ils avaient commencé par des asperges et on leur servait de la raie au beurre noir. Le ciel, au-dessus de la rue, était toujours aussi bleu et les passantes portaient des robes claires.

Avant de se décider à aller déjeuner, Maigret et Janvier étaient restés une heure et demie dans l'appartement du mort, qui leur était déjà plus familier.

Le corps avait été emporté vers l'institut médico-légal où le docteur Tudelle était en train d'en faire l'autopsie. Les gens du Parquet, de l'Identité Judiciaire étaient partis. Avec un soupir de soulagement, Maigret avait ouvert rideaux et volets cependant que le soleil entrait dans les pièces, rendait aux meubles, aux objets, leur aspect quotidien.

Cela ne gênait pas le commissaire que la vieille Jaquette et le neveu le suivent à la piste, attentifs à ses gestes et à ses expressions de physionomie, et de temps en temps il se tournait vers eux pour leur poser une question.

Sans doute avaient-ils été surpris de le voir aller et venir si longtemps, sans rien regarder de précis, comme s'il visitait un appartement à louer.

Le bureau, si étouffant le matin dans la lumière artificielle, l'intéressait fort et il y revenait sans cesse, avec un secret plaisir, car c'était une des pièces les plus agréables qu'il eût jamais vues.

La pièce était haute de plafond, éclairée

par une porte-fenêtre qui s'ouvrait sur un perron de trois marches, et on découvrait non sans surprise un vrai jardin, une pelouse bien entretenue, un énorme tilleul dressé dans un univers de pierre.

— Qui dispose de ce jardin ? avait-il demandé en regardant, en haut, les fenêtres d'autres appartements.

La réponse vint de Mazeron :

— Mon oncle.

— Aucun autre locataire ?

— Non. L'immeuble lui appartenait. Il y est né. Son père, qui jouissait encore d'une assez belle fortune, occupait le rez-de-chaussée et le premier étage. Quand il est mort, mon oncle, déjà orphelin de sa mère, s'est réservé ce petit appartement et le jardin.

Ce simple détail était significatif. N'est-il pas rare, à Paris, qu'un homme de soixante-dix-sept ans habite encore sa maison natale ?

— Et quand il était ambassadeur à l'étranger ?

— Il fermait l'appartement et le retrouvait au moment de ses vacances. Contrairement à ce qu'on pourrait penser, l'immeuble ne lui rapportait presque rien. La plupart des locataires y sont depuis si longtemps qu'ils paient des loyers dérisoires et que, certaines années, avec les réparations et les impôts, mon oncle en était de sa poche.

Les pièces étaient peu nombreuses. Le bureau tenait lieu de salon. A côté, il y avait une salle à manger, en face de la cuisine, et, donnant sur la rue, une chambre à coucher et une salle de bains.

— Où couchez-vous ? avait demandé Maigret à Jaquette.

Elle lui fit répéter sa question et il commença à croire que c'était chez elle une manie.

— Derrière la cuisine.

Il découvrit en effet une sorte de débarras dans lequel on avait installé un lit de fer, une armoire et un lavabo à eau courante. Un grand crucifix d'ébène était fixé au-dessus d'un bénitier garni d'un brin de buis.

— Le comte de Saint-Hilaire était dévot ?

— Il n'a jamais manqué la messe du dimanche, même en Russie.

Ce qui frappait le plus, c'était une subtile harmonie, un raffinement que Maigret aurait été en peine de définir. Les meubles étaient de styles différents et on ne s'était pas préoccupé de former un ensemble. Chaque pièce n'en était pas moins belle en elle-même, chacune avait acquis la même patine, la même personnalité.

Le bureau était presque entièrement tapissé de livres reliés, tandis que d'autres, à couverture blanche ou jaune, étaient rangés sur les rayonnages du couloir.

— La fenêtre était-elle fermée quand vous avez découvert le corps ?

— C'est vous qui l'avez ouverte. Je n'ai même pas touché aux rideaux.

— Et la fenêtre de la chambre à coucher ?

— Elle était fermée aussi. M. le comte était frileux.

— Qui avait la clef de l'appartement ?

— Lui et moi. Personne d'autre.

Janvier avait interrogé le concierge. La petite porte découpée dans la porte cochère monumentale restait ouverte jusqu'à minuit. Le concierge ne se couchait jamais avant cette heure ; il lui arrivait toutefois de se tenir dans sa chambre, derrière la loge, d'où il ne voyait pas nécessairement ceux qui entraient et sortaient.

La veille, il n'avait rien remarqué d'anormal. La maison était tranquille, répétait-il avec insistance. Il y était depuis trente ans et la police n'avait jamais eu à y mettre les pieds.

Il était trop tôt pour reconstituer ce qui s'était passé le soir ou la nuit précédente. Il fallait attendre le rapport du médecin légiste, puis celui de Moers et de ses hommes.

Une chose paraissait évidente : Saint-Hilaire ne s'était pas couché. Il portait un pantalon gris sombre à fines rayures, une chemise blanche légèrement empesée, un nœud papillon à pois et, comme d'habitude quand il restait chez lui, il avait passé sa robe de chambre en velours noir.

— Il lui arrivait souvent de veiller tard ?

— Cela dépend de ce que vous appelez tard.

— A quelle heure se couchait-il ?

— J'étais presque toujours couchée avant lui.

C'était exaspérant. Les questions les plus banales se heurtaient à la méfiance de la vieille domestique qui répondait rarement d'une façon directe.

— Vous ne l'entendiez pas quitter son bureau ?

— Allez dans ma chambre et vous constaterez qu'on n'entend rien, sinon le bruit de l'ascenseur qui se trouve de l'autre côté de la cloison.

— A quoi employait-il ses soirées ?

— A lire. A écrire. A corriger les épreuves de son livre.

— Se couchait-il vers minuit, par exemple ?

— Peut-être un peu avant, ou un peu après, selon les jours.

— A ce moment-là, il ne lui arrivait jamais de vous appeler, d'avoir besoin de vos services ?

— Pour quoi faire ?

— Il aurait pu avoir envie d'une tisane avant de se coucher, ou bien...

— Il ne buvait jamais de tisane. Pour le reste, il avait sa cave à liqueurs...

— Que buvait-il ?

— Du vin aux repas, du bordeaux rouge. Le soir, un verre de fine...

On avait retrouvé le verre, vide, sur le bureau, et les spécialistes de l'Identité Judiciaire l'avaient emporté pour y chercher à tout hasard des empreintes digitales.

Si le vieillard avait reçu un visiteur, il ne semblait pas lui avoir offert à boire, car on ne trouvait pas d'autre verre dans le bureau.

— Le comte possédait-il une arme à feu ?

— Des fusils de chasse. Ils sont rangés dans le placard au fond du corridor.

— Il était chasseur ?

— Il lui arrivait de chasser quand on l'invitait dans un château.

— Il n'avait pas de pistolet ou de revolver ?

Elle se butait une fois de plus et, dans ces cas-là, ses pupilles se rétrécissaient comme celles d'un chat, son regard devenait immobile, sans expression.

— Vous avez entendu ma question ?

— Que m'avez-vous demandé ?

Maigret répétait sa phrase.

— Je crois bien qu'il a eu un revolver.

— A barillet ?

— Qu'est-ce que vous appelez un barillet ?

Il s'efforçait de lui expliquer. Non. Ce n'était pas une arme à barillet. C'était une arme plate, bleuâtre, à canon court.

— Où gardait-il cet automatique ?

— Je ne sais pas. Il y a longtemps que je ne l'ai vu. La dernière fois, c'était dans un tiroir de la commode.

— Dans sa chambre ?

Elle alla lui montrer le tiroir, qui ne

40

contenait que des mouchoirs, des fixe-chaussettes et des bretelles de couleurs différentes. Les autres tiroirs du meuble étaient pleins de linge soigneusement rangé, chemises, caleçons, mouchoirs et, tout en bas, le linge à porter avec le smoking et l'habit.

— Quand avez-vous vu l'automatique pour la dernière fois ?

— Il y a des années.

— Combien, à peu près ?

— Je ne sais pas. Le temps passe si vite...

— Vous ne l'avez pas revu ailleurs que dans la commode ?

— Non. Peut-être qu'il l'a mis dans un tiroir du bureau. Je n'ouvrais jamais ces tiroirs et, d'ailleurs, ils étaient toujours fermés à clef.

— Vous ne savez pas pourquoi ?

— Pourquoi ferme-t-on les meubles à clef ?

— Il se méfiait de vous ?

— Sûrement pas.

— De qui ?

— Vous ne fermez aucun meuble à clef, vous ?

Il y avait une clef, en effet, une clef de bronze très ornée, qui ouvrait les tiroirs du bureau Empire. Le contenu ne révélait rien, sinon que Saint-Hilaire, comme chacun, accumulait de menus objets inutiles, par exemple de vieux portefeuilles vides, deux ou trois fume-cigare en ambre bagués d'or qui n'avaient pas servi depuis longtemps, un coupe-cigares, des punaises, des trombones, des crayons et des porte-mines de toutes les couleurs.

Un autre tiroir contenait le papier à lettres marqué d'une couronne, des enveloppes, des cartes de visite et des bouts de ficelle soigneusement roulés, de la colle, un canif à lame cassée.

Les portes en treillage de cuivre d'une bibliothèque étaient doublées de tissu vert. A l'intérieur, on ne trouvait pas de livres mais, sur tous les rayons, des paquets de lettres soigneusement ficelés, avec, sur chaque paquet, un papier portant une date.

— C'est à ceci que vous faisiez allusion tout à l'heure ? demandait Maigret à Alain Mazeron.

Le neveu faisait signe que oui.

— Vous savez de qui sont ces lettres ?

Il acquiesçait à nouveau.

— C'est votre oncle qui vous en a parlé ?

— Je ne sais plus s'il m'en a parlé, mais tout le monde est au courant.

— Qu'appelez-vous tout le monde ?

— Dans la diplomatie, dans les milieux mondains...

— Vous est-il arrivé de lire certaines de ces lettres ?

— Jamais.

— Vous pouvez nous laisser et aller préparer votre déjeuner, disait Maigret à Jaquette.

42

— Si vous croyez que je vais manger un jour comme aujourd'hui !

— Laissez-nous quand même. Vous trouverez certainement quelque chose à faire.

Elle répugnait, c'était évident, à le laisser en tête à tête avec le neveu. Plusieurs fois, il avait surpris les coups d'œil presque haineux qu'elle lui lançait à la dérobée.

— Vous avez compris ?

— Je sais que cela ne me regarde pas, mais...

— Quoi ?

— Les lettres d'une personne sont sacrées...

— Même si elles peuvent aider à découvrir un assassin ?

— Elles ne vous aideront à rien du tout.

— J'aurai vraisemblablement besoin de vous tout à l'heure. En attendant...

Il regardait la porte et Jaquette s'éloignait à regret. N'aurait-elle pas été indignée si elle avait pu voir Maigret prendre la place du comte de Saint-Hilaire devant le bureau sur lequel Janvier rangeait les piles de lettres ?

— Asseyez-vous, disait-il à Mazeron. Vous savez de qui est cette correspondance ?

— Oui. Vous allez sans doute voir que toutes ces lettres sont signées Isi.

— Qui est Isi ?

— Isabelle de V... La princesse de V... Mon oncle l'a toujours appelée Isi...

— C'était sa maîtresse ?

Pourquoi Maigret trouvait-il à son interlocuteur une tête de sacristain, comme si les sacristains devaient avoir un physique particulier ? Mazeron aussi, à la façon de Jaquette, laissait passer un certain temps avant de répondre aux questions.

— Il paraît qu'ils n'étaient pas amants.

Maigret dénouait la ficelle d'un paquet de lettres jaunies datant de 1914, quelques jours après la déclaration de guerre.

— Quel âge a aujourd'hui la princesse ?

— Attendez que je calcule... Elle a cinq ou six ans de moins que mon oncle... Donc, soixante et onze à soixante-douze ans...

— Elle venait souvent ici ?

— Je ne l'y ai jamais vue. Je pense qu'elle n'y a jamais mis les pieds, ou alors c'était avant.

— Avant quoi ?

— Avant son mariage avec le prince de V...

— Ecoutez, monsieur Mazeron. J'aimerais que vous me racontiez cette histoire aussi clairement que possible...

— Isabelle était la fille du duc de S...

C'était une curieuse impression de retrouver ici des noms appris dans l'histoire de France.

— Et alors ?

— Mon oncle avait vingt-six ans, vers 1910, quand il l'a rencontrée. Plus exactement, il l'avait connue, petite fille, dans le château du duc, où il passait parfois ses vacances. Il était ensuite resté longtemps sans la voir et c'est en se retrouvant qu'ils sont tombés amoureux l'un de l'autre.

— Votre oncle avait déjà perdu son père ?

— Depuis deux ans.

— Il lui restait de la fortune ?

— Seulement cette maison et quelques terres en Sologne.

— Pourquoi ne se sont-ils pas mariés ?

— Je ne sais pas. Peut-être parce que mon oncle débutait dans la Carrière et qu'on l'a envoyé en Pologne comme second ou troisième secrétaire d'ambassade.

— Ils étaient fiancés ?

— Non.

Maigret avait une certaine pudeur à parcourir les lettres éparses devant lui. Contre son attente, ce n'étaient pas des lettres d'amour. La jeune fille qui les avait écrites racontait, dans un style assez vif, les menus événements de sa propre vie et de la vie parisienne.

Elle ne tutoyait pas son correspondant, qu'elle appelait *grand ami* et elle signait : *votre Isi fidèle*.

— Que s'est-il passé ensuite ?

— Avant la guerre — je parle de celle de 1914 — en 1912, si je ne me trompe, Isabelle a épousé le prince de V...

— Elle l'aimait ?

— Si on en croit ce qui se raconte, non. On prétend même qu'elle le lui a franchement déclaré. Ce que j'en sais, c'est pour avoir entendu mon père et ma mère en parler lorsque j'étais enfant.

— Votre mère était la sœur du comte de Saint-Hilaire ?

— Oui.

— Elle ne s'est pas mariée dans son milieu ?

— Elle a épousé mon père, qui était peintre et qui a connu certains succès à l'époque. Il est assez oublié, mais on trouve encore une toile de lui au Luxembourg. Plus tard, pour vivre, il est devenu restaurateur de tableaux.

Pendant cette partie de la matinée, Maigret avait eu l'impression d'arracher presque de force chaque petit bout de vérité. Il ne parvenait pas à obtenir une image nette. Ces gens-là lui paraissaient irréels, comme sortis d'un roman de 1900.

— Si je comprends bien, Armand de Saint-Hilaire n'a pas épousé Isabelle parce qu'il ne possédait pas une fortune suffisante ?

— Je suppose, oui. C'est ce qu'on m'a répété et ce qui paraît le plus vraisemblable.

— Elle a donc épousé le prince de V... que, selon vous, elle n'aimait pas, et elle l'en a honnêtement averti.

— Il s'agissait d'un arrangement entre deux grandes familles, entre deux grands noms.

N'en avait-il pas été de même, jadis, chez les Saint-Fiacre, et, quand il s'était agi de trouver une femme pour son fils, la vieille comtesse ne s'était-elle pas adressée à son évêque ?

— Le couple a eu des enfants ?

— Un seul, après plusieurs années de mariage.

— Qu'est-il devenu ?

— Le prince Philippe doit avoir quarante-cinq ans. Il a épousé une demoiselle de Marchangy et vit presque toute l'année dans son château de Genestoux, près de Caen, où il possède un haras et des fermes. Il a cinq ou six enfants.

— Pendant une cinquantaine d'années, si j'en juge par cette correspondance, Isabelle et votre oncle ont continué à correspondre. Presque chaque jour, ils se sont adressé des lettres de plusieurs pages. La mari était au courant ?

— On le prétend.

— Vous le connaissez ?

— Seulement de vue.

— Quel homme est-ce ?

— Un homme du monde et un collectionneur.

— Collectionneur de quoi ?

— De médailles, de tabatières...

— Il menait une vie mondaine ?

— Il recevait chaque semaine, dans son hôtel particulier de la rue de Varenne, et, l'automne, dans son château de Saint-Sauveur-en-Bourbonnais.

Maigret avait tiqué. D'un côté, il sentait

que tout cela était probablement vrai mais, en même temps, les personnages lui semblaient immatériels.

— La rue de Varenne, objectait-il, est à cinq minutes de marche d'ici.

— Pourtant, je jurerais que, pendant cinquante ans, mon oncle et la princesse ne se sont jamais rencontrés.

— Tout en s'écrivant chaque jour ?

— Vous avez les lettres sous les yeux.

— Et le mari était au courant ?

— Isabelle n'aurait pas accepté d'écrire en cachette.

Maigret avait presque envie de se fâcher, comme si on s'était moqué de lui. Pourtant les lettres étaient sous ses yeux, en effet, pleines de phrases révélatrices.

« ... *ce matin, à onze heures, j'ai reçu la visite de l'abbé Gauge et nous avons beaucoup parlé de vous. C'est un réconfort, pour moi, de savoir que les liens qui nous unissent sont de ceux contre lesquels les hommes ne peuvent rien...* »

— La princesse est très catholique ?

— Elle a fait bénir une chapelle dans l'hôtel de la rue de Varenne.

— Et son mari ?

— Il est catholique aussi.

— Il a eu des maîtresses ?

— On le prétend.

Une autre lettre, dans un paquet plus récent :

« ... *Je serai toute ma vie reconnaissante à Hubert d'avoir compris...* »

— Je suppose que Hubert est le prince de V... ?

— Oui. Il a appartenu jadis au cadre de Saumur. Chaque matin, il montait encore à cheval au bois de Boulogne jusqu'à ce que, la semaine dernière, il fasse une mauvaise chute.

— Quel âge avait-il ?

— Quatre-vingts ans.

Dans cette affaire, il n'y avait que des vieillards, avec, entre eux, des relations qui ne paraissaient pas humaines.

— Vous êtes sûr de tout ce que vous me dites, monsieur Mazeron ?

— Si vous en doutez, interrogez n'importe qui.

N'importe qui dans un milieu dont Maigret n'avait qu'une idée vague et certainement inexacte !

— Continuons ! soupirait-il avec lassitude. C'est ce prince-là qui, m'avez-vous dit tout à l'heure, vient de mourir ?

— Dimanche matin, oui. Les journaux en ont parlé. Il a succombé aux suites de sa chute de cheval et les obsèques ont lieu en ce moment même à Sainte-Clotilde.

— Il n'entretenait aucune relation avec votre oncle ?

— Que je sache.

— Et s'ils se rencontraient dans le monde ?

— Je suppose qu'ils évitaient de fréquenter les mêmes salons et les mêmes cercles.

— Ils se haïssaient ?

— Je ne crois pas.

— Votre oncle vous a parfois parlé du prince ?

— Non. Il n'y faisait aucune allusion.

— Et d'Isabelle ?

— Il m'a dit, il y a longtemps, que j'étais son seul héritier et qu'il était regrettable que je ne porte pas son nom. Cela l'attristait aussi que je n'aie pas de fils, mais deux filles. Si j'avais eu un fils, a-t-il ajouté, il aurait demandé un jugement permettant à celui-ci de porter le nom de Saint-Hilaire.

— Vous êtes donc le seul héritier de votre oncle.

— Oui. Je n'ai pas fini mon histoire. Indirectement, sans citer de nom, il m'a parlé cette fois-là de la princesse. Il m'a dit en effet :

« — J'espère encore me marier un jour, Dieu seul sait quand, et il sera trop tard pour que nous ayons des enfants... »

— Si je comprends bien, la situation est la suivante. Vers 1912, votre oncle rencontre une jeune fille qu'il aime et qui l'aime, mais ils ne se marient pas parce que le comte de Saint-Hilaire est pratiquement sans fortune.

— C'est exact.

— Deux ans plus tard, alors que votre oncle est en Pologne ou ailleurs dans une ambassade, la jeune Isabelle fait un mariage

de convenance et devient la princesse de V...
Elle a un fils et il ne s'agit donc pas d'un
mariage blanc. Les époux se sont comportés,
à l'époque tout au moins, comme mari et
femme.

— Oui.

— A moins qu'entre-temps Isabelle et
votre oncle se soient revus et aient cédé à
leur passion.

— Non.

— Pourquoi êtes-vous aussi catégorique ?
Vous croyez que, dans ce monde-là...

— Je dis non parce que mon oncle a passé
toute la guerre de 1914 hors de France et
que, lorsqu'il est revenu ensuite, l'enfant,
Philippe, avait deux ou trois ans.

— Admettons. Les amoureux se
revoient...

— Non.

— Ils ne se sont jamais revus ?

— Je vous l'ai déjà dit.

— Pendant cinquante ans, donc, ils s'écrivent à peu près quotidiennement et, un jour,
votre oncle vous parle d'un mariage qui
aura lieu dans un avenir plus ou moins
lointain. Ce qui signifie, je suppose, qu'Isabelle et lui attendent la mort du prince pour
se marier.

— Je le pense.

Maigret s'épongeait le front, regardait le
tilleul, au-delà de la porte-fenêtre, comme
s'il avait besoin de reprendre contact avec
une réalité plus terre à terre.

— Nous en arrivons à l'épilogue. Il y a dix ou douze jours, peu importe, le prince de quatre-vingts ans fait une chute de cheval au bois de Boulogne. Dimanche matin, il succombe à ses blessures. Hier, mardi, soit deux jours plus tard, votre oncle est assassiné, le soir, dans son bureau. La conséquence en est que le couple, qui attendait depuis cinquante ans le moment d'être enfin uni, ne le sera pas. C'est juste ? Je vous remercie, monsieur Mazeron. Voulez-vous, s'il vous plaît, me donner l'adresse de votre femme ?

— 23, rue de la Pompe, à Passy.

— Vous connaissez le notaire ou l'avoué de votre oncle ?

— Son notaire est maître Aubonnet, rue de Villersexel.

A quelques centaines de mètres encore. Ces gens-là, à l'exception de Mme Mazeron, vivaient presque porte à porte, dans le quartier de Paris que Maigret connaissait le moins.

— Vous êtes libre. Je suppose que je pourrai toujours vous toucher chez vous ?

— J'y serai très peu cet après-midi, car je dois m'occuper des obsèques, des faire-part, et je compte avant tout me mettre en rapport avec maître Aubonnet.

Mazeron était parti à contrecœur et Jaquette, jaillissant de sa cuisine, était allée fermer la porte derrière lui.

— Vous avez besoin de moi, à présent ?

52

— Pas tout de suite. Il est l'heure de déjeuner. Nous reviendrons cet après-midi.

— Je suis obligée de rester ici ?

— Où iriez-vous ?

Elle l'avait regardé comme sans comprendre.

— Je vous demande où vous aviez l'intention d'aller.

— Moi ? Nulle part. Où irais-je ?

A cause de son attitude, Maigret et Janvier n'étaient pas partis tout de suite. Maigret avait appelé le Quai des Orfèvres.

— Lucas ? Tu as quelqu'un sous la main pour venir passer une heure ou deux rue Saint-Dominique ? Torrence ? Bon ! Qu'il saute dans une voiture...

De sorte que, pendant que les deux hommes déjeunaient, Torrence, lui, sommeillait dans le fauteuil du comte de Saint-Hilaire.

Autant qu'on en pouvait juger, rien n'avait été volé dans l'appartement. Il n'y avait pas eu effraction. L'assassin était entré par la porte et, comme Jaquette jurait n'avoir introduit personne, force était de croire que le comte lui-même avait ouvert à son visiteur.

L'attendait-il ? Ne l'attendait-il pas ? Il ne lui avait pas offert à boire. On n'avait retrouvé qu'un seul verre, sur le bureau, à côté de la bouteille de cognac.

Saint-Hilaire serait-il resté en robe de

chambre pour recevoir une femme ? Vraisemblablement pas, si on se fiait au peu qu'on savait de lui.

C'était donc un homme qui était venu le voir. Le comte ne s'en méfiait pas, puisqu'il s'était assis à son bureau, devant les épreuves d'imprimerie qu'il était occupé à corriger l'instant d'avant.

— Tu n'as pas remarqué s'il y avait des mégots de cigarettes dans le cendrier ?

— Il me semble que non.

— De cigare ?

— Non plus.

— Je parie qu'avant ce soir nous aurons un coup de téléphone du jeune M. Cromières.

Encore un qui avait le don de mettre Maigret en boule.

— Les obsèques du prince doivent être terminées.

— C'est probable.

— Isabelle est donc chez elle, rue de Varenne, entourée de son fils, de sa belle-fille et de leurs enfants.

Il y eut un silence. Maigret fronçait les sourcils, comme un homme hésitant.

— Vous avez l'intention d'aller les voir ? questionna Janvier avec une certaine inquiétude.

— Non... Pas avec ces gens-là... Tu prends du café ?... Garçon ! Deux cafés noirs...

On aurait juré qu'il en voulait à tout le

54

monde, aujourd'hui, y compris aux fonctionnaires de plus ou moins haut grade qui
mangeaient aux tables voisines en l'observant avec ironie.

CHAPITRE III

Dès qu'il eut
tourné le coin de la rue Saint-Dominique,
Maigret les aperçut et grogna. Ils étaient
une bonne douzaine, journalistes et photographes, devant le domicile du comte de
Saint-Hilaire et certains, comme pour un
long siège, s'étaient assis sur le trottoir, le
dos au mur.

Ils l'avaient reconnu de loin, eux aussi, et
se précipitaient vers lui.

— Voilà qui va enchanter notre cher
M. Cromières ! grommela-t-il à l'adresse de
Janvier.

C'était inévitable. Du moment qu'une
affaire passait par un commissariat de quartier, il y avait quelqu'un pour alerter la
presse.

Les photographes, qui avaient cent clichés
de lui dans leurs dossiers, le mitraillaient,

comme s'il était différent de la veille ou de n'importe quel jour. Les reporters posaient des questions. Celles-ci, heureusement, indiquaient qu'ils en savaient moins qu'on aurait pu le craindre.

— C'est un suicide, monsieur le commissaire ?

— Des documents ont-ils disparu ?

— Pour le moment, messieurs, je n'ai rien à dire.

— Doit-on en conclure que c'est peut-être une affaire politique ?

Ils marchaient à reculons devant lui, leur carnet à la main.

— Quand pourrez-vous nous donner une indication ?

— Peut-être demain, peut-être dans huit jours.

Il eut le malheur d'ajouter :

— Peut-être jamais.

Il essaya de rattraper la gaffe :

— Je plaisante, bien entendu. Soyez assez gentils pour nous laisser travailler en paix.

— Est-il vrai qu'il écrivait ses mémoires ?

— Tellement vrai que deux volumes ont d'ores et déjà paru.

Un agent en uniforme se tenait devant la porte. Quelques instants plus tard, au coup de timbre de Maigret, Torrence, en bras de chemise, venait ouvrir.

— J'ai été obligé d'appeler un sergent de ville, patron. Ils avaient pénétré dans l'immeuble et s'amusaient à sonner toutes les cinq minutes.

— Rien de nouveau ? Pas de coups de téléphone ?

— Une vingtaine. Des journaux.

— Où est la vieille ?

— Dans la cuisine. Chaque fois que le téléphone sonne, elle se précipite dans l'espoir de répondre avant moi. La première fois, elle a essayé de m'arracher l'écouteur des mains.

— Elle n'a pas téléphoné, de son côté ? Tu sais qu'il y a un second appareil dans la chambre à coucher ?

— J'ai laissé la porte du bureau ouverte pour entendre ses allées et venues. Elle n'est pas allée dans la chambre.

— Elle n'est pas sortie ?

— Non. Elle a tenté de le faire pour aller, m'a-t-elle dit, chercher du pain frais. Comme vous ne m'aviez pas laissé d'instructions à ce sujet, j'ai préféré l'en empêcher. Qu'est-ce que je fais, à présent ?

— Tu rentres au Quai.

Un instant, le commissaire avait pensé y retourner aussi, y emmener la Jaquette, qu'il avait envie de questionner à loisir. Il ne se sentait pas prêt pour cet interrogatoire. Il préférait traîner encore dans l'appartement et sans doute serait-ce en fin de compte dans le bureau de Saint-Hilaire qu'il essayerait de faire parler la vieille domestique.

En attendant, il ouvrait à deux battants la

haute porte-fenêtre, s'asseyait à la place que le comte avait si souvent occupée. Sa main se tendait vers un paquet de lettres quand la porte s'ouvrit. C'était Jaquette Larrieu, plus aigre et plus méfiante que jamais.

— Vous n'avez pas le droit de faire ça.

— Vous savez de qui sont ces lettres ?

— Peu importe que je sache ou que je ne sache pas. C'est de la correspondance privée.

— Vous allez me faire le plaisir de retourner dans la cuisine ou dans votre chambre.

— Je n'ai pas le droit de sortir ?

— Pas pour le moment.

Elle hésita, cherchant une réplique cinglante, qu'elle ne trouva pas, et, pâle de rage, se résigna à sortir du bureau.

— Va me chercher la photographie encadrée d'argent que j'ai aperçue ce matin dans la chambre à coucher.

Maigret, le matin, n'y avait pas prêté grande attention. Trop de choses lui étaient encore étrangères. C'était un principe, chez lui, de ne pas essayer de se faire trop vite une opinion, car il se méfiait des premières impressions.

Pendant le déjeuner à la terrasse, il s'était souvenu tout à coup d'une lithographie qu'il avait vue pendant des années dans la chambre de ses parents. C'était sa mère qui avait dû la choisir et l'y accrocher. Le cadre en était blanc, dans le style du début du siècle. On voyait une jeune femme au bord d'un lac, vêtue d'une robe princesse, un large chapeau à plume d'autruche sur la tête, une ombrelle pointue à la main. L'expression du visage était mélancolique, comme le paysage, et Maigret était sûr que sa mère trouvait cette image poétique. N'était-ce pas la poésie de l'époque ?

L'histoire d'Isabelle et du comte de Saint-Hilaire lui avait remis cette image en mémoire avec tant de précision qu'il revoyait même le papier à rayures bleu pâle de la chambre de ses parents.

Or, dans le cadre d'argent aperçu le matin dans la chambre du comte, et que Janvier lui apportait, il retrouvait la même silhouette, une robe du même style, une mélancolie identique.

Il ne doutait pas que ce fût une photographie d'Isabelle vers 1912, à l'époque où elle était encore jeune fille et où le futur ambassadeur l'avait rencontrée.

Elle n'était pas grande et, peut-être à cause du corset, elle semblait avoir la taille fine, le buste, comme on disait alors, assez abondant. Les traits étaient bien dessinés, la bouche mince, les yeux clairs, bleus ou gris.

— Qu'est-ce que je fais, patron ?

— Assieds-toi.

Il avait besoin de quelqu'un, comme pour contrôler ses impressions. Devant lui, les paquets de lettres étaient rangés par année et il les prenait l'un après l'autre, ne lisait pas tout, certes, ce qui lui aurait pris plusieurs jours, mais un passage par-ci, par-là.

Mon bel ami... Ami très cher... Doux ami...

Plus tard, peut-être parce qu'elle se sentait en communion plus étroite avec son correspondant, elle écrivait simplement : *Ami.*

Saint-Hilaire avait conservé les enveloppes, qui portaient des timbres de pays différents. Isabelle s'était beaucoup déplacée. Pendant longtemps, par exemple, les lettres du mois d'août étaient datées de Baden-Baden ou de Marienbad, les villes d'eau aristocratiques de l'époque.

On en trouvait aussi du Tyrol, beaucoup de Suisse et du Portugal. Elle racontait avec complaisance et vivacité les menus événements qui meublaient ses journées et décrivait assez spirituellement les gens qu'elle rencontrait.

Souvent, elle ne les désignait que par leur prénom, parfois par une simple initiale.

Maigret mit un certain temps à s'y retrouver. Le timbre de la poste et le contexte aidant, il parvenait petit à petit à déchiffrer ces sortes de rébus.

Marie, par exemple, était une reine encore régnante en ce temps-là, la reine de Roumanie. C'était de Bucarest, où elle faisait un séjour à la cour avec son père, qu'Isabelle écrivait et on la retrouvait un an plus tard à la cour d'Italie.

« *Mon cousin H...* »

Le nom revenait en entier dans une autre lettre, celui du prince de Hesse, et il y en avait d'autres, plus ou moins cousins ou petits-cousins.

Pendant la guerre de 1914, elle acheminait ses lettres par le canal de l'ambassade de France à Madrid.

« *Mon père m'a expliqué hier qu'il est nécessaire que j'épouse le prince de V... que vous avez rencontré plusieurs fois à la maison. Je lui ai demandé trois jours de réflexion et, pendant ces trois jours, j'ai beaucoup pleuré...* »

Maigret fumait sa pipe à petites bouffées, lançait parfois un coup d'œil au jardin, au feuillage du tilleul, passait les lettres, une à une, à Janvier, dont il épiait les réactions.

Il ressentait comme une irritation à fleur de peau devant ces évocations qui lui semblaient si peu réelles. Ne regardait-il pas, enfant, avec un malaise du même genre, la femme au bord du lac, dans la chambre de ses parents ? A ses yeux, c'était de la fausse poésie, un être irréel, impossible.

Pourtant, voilà que, dans un monde qui avait encore évolué, qui était devenu plus dur, il retrouvait, vivante, une image presque semblable.

« *J'ai eu, cet après-midi, une longue conversation avec Hubert et j'ai été complètement franche. Il sait que je vous aime, que trop d'obstacles nous séparent et que je m'incline devant la volonté de mon père...* »

La semaine précédente encore, Maigret s'occupait d'un crime passionnel simple et brutal, un amant qui avait tué à coups de couteau le mari de celle qu'il aimait, qui avait ensuite tué la femme pour tenter enfin de se couper les artères sans y parvenir. Il est vrai que cela se passait dans le petit peuple du Faubourg Saint-Antoine.

« *Il a accepté que notre mariage soit un mariage blanc et je lui ai promis, de mon côté, de ne jamais vous revoir. Il n'ignore pas que je vous écris. Il vous estime et ne met pas en doute le respect dont vous avez toujours témoigné envers moi...* »

Il y avait des moments où Maigret se révoltait, d'une révolte presque physique.

— Tu y crois, toi, Janvier ?

L'inspecteur était éberlué.

— On dirait qu'elle est sincère...

— Lis celle-ci !

— C'était trois ans plus tard.

« *Je sais, ami, que vous allez souffrir, mais, si cela peut vous consoler je souffre encore plus que vous...* »

C'était en 1915. Elle annonçait que Julien, le frère du prince de V..., venait d'être tué en Argonne à la tête de son régiment. Elle avait eu, une fois de plus, un long entretien avec son mari, venu à Paris en permission.

Ce qu'elle annonçait, en définitive, à l'homme qu'elle aimait, c'était qu'elle allait être obligée de coucher avec le prince. Elle n'usait pas de ces termes, certes. Non seulement il n'y avait aucun mot brutal, ou choquant, dans sa lettre, mais le fait lui-même était présenté d'une façon quasi immatérielle.

« *Tant que Julien vivait, Hubert ne s'inquiétait pas, persuadé que son frère aurait un héritier et qu'ainsi le nom de V...* »

Il n'y avait plus de frère. Donc, le devoir de Hubert était d'assurer sa descendance.

« *J'ai passé la nuit en prières et, le matin, je suis allée voir mon directeur de conscience...* »

Le prêtre avait partagé l'avis du prince. On ne pouvait pas, pour une question d'amour, laisser s'éteindre un nom qu'on retrouvait, depuis cinq siècles, à toutes les pages de l'histoire de France.

« *J'ai compris mon devoir...* »

Le sacrifice avait eu lieu puisqu'un enfant, Philippe, était né. Elle annonçait cette naissance aussi et il y avait à ce sujet un bout de phrase qui laissait Maigret rêveur :

« *Dieu merci ! c'est un garçon...* »

Cela ne signifiait-il pas, noir sur blanc, que, si l'enfant avait été une fille, elle aurait dû recommencer ?

Et, si une fille naissait à nouveau, puis encore une fille...

— Tu as lu ?

— Oui.

On aurait dit qu'ils étaient tous les deux en proie au même malaise. Ils avaient, l'un comme l'autre, l'habitude d'une réalité assez crue et les passions dont ils avaient à connaître finissaient par des drames puisqu'elles aboutissaient au Quai des Orfèvres.

Ici, c'était aussi décevant que de vouloir saisir un nuage. Et quand ils s'efforçaient de cerner les personnages, ceux-ci restaient aussi flous, aussi inconsistants que la dame du lac.

Pour un peu, Maigret aurait fourré toutes ces lettres dans le meuble au rideau vert en grommelant :

« Tas d'idioties ! »

En même temps, il était pris d'un certain respect, presque d'attendrissement. Ne voulant pas être dupe, il s'efforçait de se raidir.

— Tu y crois, toi ?

Encore des ducs, des princes, des rois détrônés rencontrés au Portugal. Puis un voyage au Kenya, en compagnie du mari. Un autre voyage, aux Etats-Unis, où Isabelle s'était sentie désemparée parce que la vie y était trop brutale.

...« *Plus il grandit, plus Philippe vous ressemble. N'est-ce pas miraculeux ? Ne dirait-on pas que le ciel veut nous récompenser de notre sacrifice ? Hubert s'en aperçoit aussi, je le vois à sa façon de regarder l'enfant...* »

Hubert, en tout cas, n'était plus admis dans le lit conjugal et il ne se faisait pas faute de chercher ailleurs des consolations. Dans les lettres, il n'était plus Hubert, mais H...

« *Le pauvre H. a une nouvelle folie et je*

soupçonne qu'elle le fait souffrir. Il maigrit à vue d'œil et devient de plus en plus nerveux... »

On retrouvait des *folies* de ce genre tous les cinq ou six mois. De son côté, Armand de Saint-Hilaire, dans ses lettres, ne devait pas essayer de faire croire à sa propre continence.

Isabelle lui écrivait, par exemple :

« *J'espère que les femmes turques sont moins farouches qu'on le dit et surtout que les maris ne sont pas trop féroces...* »

Elle ajoutait :

« *Soyez prudent, ami. Chaque matin, je prie pour vous...* »

Quand il était ministre à Cuba, puis ambassadeur à Buenos Aires, elle s'inquiétait des femmes de sang espagnol.

« *Elles sont si belles ! Et moi, lointaine et effacée, je tremble à l'idée qu'un jour vous allez tomber amoureux...* »

Elle s'occupait de sa santé.

« *Vos furoncles vous font-ils encore souffrir ? Par cette chaleur, cela doit...* »

Elle connaissait Jaquette.

« *J'écris à Jaquette pour lui donner la recette de la tarte aux amandes que vous aimez tant...* »

— N'avait-elle pas promis à son mari de ne plus voir Saint-Hilaire ?... Ecoute ceci... C'est adressé ici même :

« *Quel bonheur ineffable et douloureux à la fois, hier, de vous voir de loin à l'Opéra... J'aime vos tempes grisonnantes et un léger embonpoint vous donne une dignité inégalable... Toute la soirée, j'ai été fière de vous...*

« *Ce n'est qu'en rentrant rue de Varenne et en me regardant dans mon miroir que j'ai été effrayée... Comment pourrais-je ne pas vous avoir déçu ?... Les femmes se fanent vite et me voilà presque une vieille femme...* »

Ils s'étaient vus, ainsi, de loin, d'assez nombreuses fois. Ils se donnaient même des sortes de rendez-vous.

« *Demain, vers trois heures, je me promènerai aux Tuileries avec mon fils...* »

Saint-Hilaire, de son côté, passait sous ses fenêtres à des heures fixées d'avance.

Au sujet de son fils, il y avait, alors qu'il était âgé d'une dizaine d'années, une phrase caractéristique que Maigret lut à voix haute.

« *Philippe, me trouvant une fois de plus en train d'écrire, m'a demandé candidement :*

« *— Tu écris encore à ton amoureux ?* »

Maigret soupirait, s'épongeait, reficelait les paquets les uns après les autres.

— Essaie de m'avoir le docteur Tudelle à l'appareil.

Il avait besoin de se retrouver sur un terrain solide. Les lettres avaient repris leur place dans la bibliothèque et il se promettait de n'y plus toucher.

— Il est au bout du fil, patron...

— Allô, docteur... Maigret, oui... Vous avez terminé il y a dix minutes ?... Non, bien sûr, je ne vous demande pas tous les détails...

Tout en écoutant, il griffonnait des mots, des signes qui ne voulaient rien dire, sur le bloc de Saint-Hilaire.

— Vous en êtes certain ?... Vous avez déjà envoyé les balles à Gastine-Renette ?... Je lui téléphonerai un peu plus tard... Merci... Il vaut mieux que vous adressiez le rapport au juge d'instruction... Cela lui fera plaisir... Merci encore...

Il se mettait à marcher dans la pièce, les mains derrière le dos, s'arrêtant de temps en temps pour regarder le jardin où un merle peu farouche sautillait dans l'herbe à quelques pas de lui.

— La première balle, expliquait-il à Janvier, a été tirée de face, presque à bout portant... C'est une balle de 7,65 revêtue d'une chemise de cuivre nickelé... Tudelle n'a pas encore l'expérience du docteur Paul, mais il est à peu près sûr qu'elle a été tirée par un browning automatique... Sur un point, il se montre catégorique : cette première balle a causé une mort à peu près instantanée. Le corps s'est penché en avant et a glissé du fauteuil sur le tapis...

— Comment le sait-il ?

— Parce que les autres coups de feu ont été tirés de haut en bas.

— Combien d'autres ?

— Trois. Deux dans le ventre et un dans l'épaule. Les pistolets automatiques contenant six cartouches, ou sept, si on en a glissé une dans le canon, je me demande pourquoi l'assassin s'est arrêté soudain de tirer après la quatrième balle. A moins que le pistolet se soit enrayé...

Il regardait le tapis, nettoyé tant bien que mal, où on distinguait encore le contour des taches de sang.

— Ou bien celui qui a fait ça tenait à être sûr que sa victime était morte, ou bien il se trouvait dans un tel état d'excitation qu'il a continué machinalement à tirer. Appelle-moi Moers, veux-tu ?

Il était trop pris, ce matin, par le côté étrange de l'affaire, pour s'occuper lui-même des indices matériels et il avait laissé ce soin aux spécialistes de l'Identité Judiciaire.

— Moers ?... Oui... Où en êtes-vous ?... Bien entendu... Dites-moi d'abord si vous avez retrouvé les douilles dans le bureau... Non ?... Aucune ?... *cartridge case*

C'était curieux et semblait indiquer que le meurtrier savait qu'il ne serait pas dérangé. Après quatre détonations bruyantes, très bruyantes même, si l'arme était un browning 7,65, il avait pris le temps de rechercher à travers la pièce les douilles qui avaient été éjectées assez loin.

— La poignée de la porte ?

— Les seules empreintes à peu près nettes sont celles de la domestique.

— Le verre ?

— Les empreintes du mort.

— Le bureau, les meubles ?

— Rien, patron. Je veux dire aucune empreinte étrangère, sinon les vôtres.

— La serrure, les fenêtres ?

— Les agrandissements photographiques ne montrent aucune trace d'effraction.

' Les lettres d'Isabelle ne ressemblaient peut-être pas à celles des amants dont Maigret avait à s'occuper d'habitude, mais le crime, lui, était bien réel.

Deux détails, pourtant, se contredisaient à première vue. L'assassin avait continué à tirer sur un mort, sur un homme qui ne bougeait plus et qui, la tête fracassée, présentait un spectacle assez horrible. Maigret se souvenait des cheveux blancs, encore abondants, qui collaient au crâne béant, d'un œil resté ouvert, d'un os qui sortait de la joue arrachée.

Le médecin légiste affirmait qu'après le premier coup de feu le cadavre était par terre, au pied du fauteuil, à l'endroit où on l'avait retrouvé.

L'assassin donc, qui se trouvait vraisemblablement de l'autre côté du bureau, en avait fait le tour pour tirer à nouveau, une fois, deux fois, trois fois, de haut en bas, de tout près, moins de cinquante centimètres, selon Tudelle.

A cette distance, point n'était besoin de viser pour atteindre un point précis. Autrement dit, c'est volontairement qu'on avait atteint la poitrine et le ventre ?

Cela ne suggérait-il pas un geste de vengeance, ou un degré exceptionnel de haine ?

— Tu es sûr qu'il n'y a pas d'arme dans l'appartement ? Tu as fouillé partout ?

— Même dans la cheminée, répondait Janvier.

Maigret aussi avait cherché cet automatique dont la vieille domestique avait parlé, en termes assez vagues, il est vrai.

— Va demander au policier en faction devant la porte si ce n'est pas un 7,65 qu'il a à sa ceinture.

Beaucoup de sergents de ville en uniforme étaient munis d'une arme de ce calibre.

— Qu'il te le prête un moment.

Il sortit, lui aussi, du bureau, traversa le corridor, poussa la porte de la cuisine où Jaquette Larrieu était assise sur une chaise et se tenait très droite. Les yeux fermés, elle avait l'air de dormir. Elle sursauta au bruit.

— Voulez-vous me suivre...

— Où ?

— Dans le bureau. J'aimerais vous poser quelques questions.

— Je vous ai déjà dit que je ne sais rien.

Une fois dans la pièce, elle regarda autour d'elle comme pour s'assurer qu'on n'avait rien dérangé.

— Asseyez-vous.

Elle hésitait, peu habituée, sans doute, à s'asseoir dans cette pièce en présence de son patron.

— Sur cette chaise... Je vous en prie...

Elle obéissait à regret, regardait le commissaire d'un œil plus méfiant que jamais.

Janvier revenait, un automatique à la main.

— Donne-le-lui.

Elle répugnait à le saisir, ouvrait la bouche pour parler, la refermait, et Maigret aurait juré qu'elle avait failli dire :

« Où l'avez-vous trouvée ? »

L'arme la fascinait. Elle avait de la peine à en détacher le regard.

— Vous reconnaissez ce pistolet ?

— Comment pourrais-je le reconnaître ? Je ne l'ai jamais examiné de près et je suppose qu'on n'en a pas fabriqué qu'un de cette espèce.

— C'est bien le genre d'arme que possédait le comte ?

— Je suppose.

— La taille ?

— Je ne m'y connais pas.

— Prenez-le à la main. Est-ce à peu près le même poids ?

Elle refusa net de faire ce qu'on lui demandait.

— Cela ne servirait à rien, puisque je n'ai jamais touché celui qui était dans le tiroir.

— Tu peux le reporter au sergent, Janvier.

— Vous n'avez plus besoin de moi ?

— Restez, je vous en prie. Je suppose que vous ignorez si votre maître a donné ou prêté son pistolet à quelqu'un, à son neveu, par exemple, ou à quelqu'un d'autre ?

— Comment le saurais-je ? Je sais seulement que je ne l'ai pas vu depuis longtemps.

— Le comte de Saint-Hilaire craignait-il les voleurs ?

— Sûrement pas. Ni les voleurs, ni les assassins. La preuve, c'est que, l'été, il dormait la fenêtre ouverte, bien que nous soyons au rez-de-chaussée et que n'importe qui aurait pu s'introduire dans la chambre.

— Il ne gardait aucun objet précieux dans l'appartement ?

— Vous et vos hommes savez mieux que moi ce qu'il y a ici.

— Quand êtes-vous entrée à son service ?

— Tout de suite après la guerre de 1914. Il revenait de l'étranger. Son valet de chambre était mort.

— Vous aviez donc une vingtaine d'années ?

— Vingt-huit ans.

— Depuis combien de temps étiez-vous à Paris ?

— Quelques mois. Avant, je vivais avec mon père en Normandie. Mon père mort, j'ai été obligée de travailler.

— Vous aviez eu des aventures ?

— Comment ?

— Je demande si vous aviez eu des amoureux ou un fiancé.

Elle le regarda avec ressentiment.

— Rien de ce que vous pensez.

— Vous avez donc vécu seule avec le comte de Saint-Hilaire dans cet appartement ?

— Il y a du mal à ça ?

Maigret ne suivait pas nécessairement un ordre logique, car rien ne lui paraissait logique dans cette affaire et il passait d'un sujet à un autre comme s'il cherchait le point sensible. Janvier, revenu dans la pièce, était assis près de la porte. Comme il allumait une cigarette et laissait tomber son allumette par terre, la vieille, à qui rien n'échappait, le rappelait à l'ordre :

— Vous pourriez vous servir d'un cendrier.

— Au fait, votre patron fumait-il ?

— Il a fumé longtemps.

— La cigarette ?

— Le cigare.

— Les derniers temps, il ne fumait plus ?

— Non. A cause de sa bronchite chronique.

— Il paraissait pourtant en excellente santé.

Le docteur Tudelle avait dit à Maigret, au téléphone, que Saint-Hilaire avait dû jouir d'une santé exceptionnelle.

— Une carcasse solide, un cœur en parfait état, aucune sclérose.

Mais certains organes étaient trop abîmés par les projectiles pour permettre un diagnostic complet.

— Quand vous êtes entrée à son service, c'était presque un jeune homme.

— Il avait trois ans de plus que moi.

— Vous saviez qu'il était amoureux ?

— Je portais ses lettres à la poste.

— Vous n'étiez pas jalouse ?

— Pourquoi aurais-je été jalouse ?

— Il ne vous est pas arrivé de voir, ici, la personne à qui il écrivait chaque jour ?

— Elle n'a jamais mis les pieds dans l'appartement.

— Mais vous l'avez vue ?

Elle se taisait.

— Répondez. Lorsque l'affaire passera aux assises, on vous posera des questions plus embarrassantes et vous n'aurez pas le droit de vous taire.

— Je ne sais rien.

— Je vous ai demandé si vous aviez vu cette personne.

— Oui. Elle passait dans la rue. Il m'est arrivé aussi d'aller porter des lettres que je lui remettais personnellement.

— En cachette ?

— Non. Je demandais à la voir et on me conduisait dans son appartement.

— Elle vous parlait ?

— Parfois, elle me posait des questions.

— Vous parlez d'il y a une quarantaine d'années ?

— D'alors et de plus récemment.

— Quel genre de questions ?

— Surtout sur la santé de M. le comte.

— Pas sur les personnes qu'il recevait ?

— Non.

— Vous avez suivi votre maître à l'étranger ?

— Partout !

— Comme ministre, puis comme ambassadeur, il était obligé à un important train de maison. Quel était votre rôle exact ?

— Je m'occupais de lui.

— Vous voulez dire que vous n'étiez pas sur le même pied que les autres domestiques, que vous n'aviez pas à vous préoccuper de la cuisine, du nettoyage, des réceptions ?

— Je surveillais.

— Quel était votre titre ? Gouvernante ?

— Je n'avais pas de titre.

— Vous avez eu des amants ?

Elle se raidit, le regard plus chargé de mépris que jamais.

— Vous étiez sa maîtresse ?

Maigret eut peur de la voir se précipiter sur lui, toutes griffes dehors.

— Je sais, par sa correspondance, poursuivit-il, qu'il avait des aventures.

— C'était son droit, non ?

— Vous en étiez jalouse ?

— Il m'est arrivé de mettre certaines personnes à la porte, parce qu'elles n'étaient pas faites pour lui et qu'elles lui auraient attiré des ennuis.

— Autrement dit, vous vous préoccupiez de sa vie privée.

— Il était trop bon. Il était resté naïf.

— Il remplissait cependant avec distinction le rôle délicat d'ambassadeur.

— Ce n'est pas la même chose.

— Vous ne l'avez jamais quitté ?

— On en parle dans les lettres ?

C'était au tour de Maigret de ne pas répondre, d'insister :

— Pendant combien de temps êtes-vous restée séparée de lui ?

— Cinq mois.

— A quelle époque ?

— Quand il était ministre à Cuba.

— Pourquoi ?

— A cause d'une femme qui a exigé qu'il me mette dehors.

— Quel genre de femme ?

Silence.

— Pourquoi ne pouvait-elle vous supporter ? Elle vivait avec lui ?

— Elle venait le voir chaque jour et passait souvent la nuit à la légation.

— Où êtes-vous allée ?

— J'ai loué un petit logement près du Prado.

— Votre patron vous y rendait visite ?

— Il n'osait pas, se contentait de me téléphoner pour me faire prendre patience. Il savait bien que cela ne durerait pas. J'ai quand même pris mon billet pour l'Europe.

— Mais vous n'êtes pas partie ?

— Il est venu me chercher la veille du départ.

— Vous connaissez le prince Philippe ?

— Si vous avez vraiment lu les lettres, vous n'avez pas besoin de me questionner. Cela ne devrait pas être permis, après la mort des gens, de fouiller leur correspondance.

— Vous n'avez pas répondu.

— Je le voyais quand il était jeune.

— Où ?

— Rue de Varenne. Il était souvent avec sa mère.

— Vous n'avez pas eu l'idée de téléphoner à la princesse, ce matin, avant de vous rendre au Quai d'Orsay ?

Elle le regarda dans les yeux sans broncher.

— Pourquoi ne l'avez-vous pas fait, puisque, selon vous, vous avez longtemps servi de trait d'union entre eux deux ?

— Parce que c'est le jour des obsèques.

— Et après, ce matin, pendant notre absence, vous n'avez pas été tentée de la mettre au courant ?

Elle fixa l'appareil téléphonique.

— Il y a toujours eu quelqu'un dans le bureau.

On frappait à la porte. C'était l'agent en faction sur le trottoir.

— Je ne sais pas si ça vous intéresse. J'ai cru bien faire en vous apportant le journal.

C'était un quotidien de l'après-midi qui avait dû paraître une heure plus tôt. Un titre assez gras, sur deux colonne, au bas de la première page, annonçait :

Mort mystérieuse d'un Ambassadeur.

Le texte était bref.

« *Ce matin, on a découvert à son domicile, rue Saint-Dominique, le cadavre du comte Armand de Saint-Hilaire, longtemps ambassadeur de France dans diverses capitales, entre autres à Rome, Londres et Washington.*

« *Le crime a été découvert de bonne heure par une vieille domestique.*

« *On ne sait pas encore s'il a eu le vol pour mobile ou s'il faut chercher des raisons plus mystérieuses.* »

Il tendit le journal à Jaquette, regarda le téléphone d'un air hésitant. Il se demandait si, rue de Varenne, on avait lu le journal, ou si quelqu'un avait déjà annoncé la nouvelle à Isabelle.

Dans ce cas, quelle allait être sa réaction ? Oserait-elle venir elle-même ? Enverrait-elle son fils aux renseignements ? Se contenterait-elle d'attendre, dans le silence de son hôtel particulier où, en signe de deuil, on avait sans doute fermé les volets ?

Est-ce que Maigret ne devrait pas...

Il se leva, mécontent de lui, mécontent de tout, et il alla se camper devant le jardin, frappant sa pipe sur son talon pour la vider, à l'indignation de Jaquette.

CHAPITRE IV

La VIEILLE FILLE, menue et raide sur sa chaise, écoutait avec effarement la voix du commissaire qui avait des vibrations qu'elle ne connaissait pas encore. Il est vrai que ce n'était pas à elle que Maigret s'adressait, mais à un personnage invisible à l'autre bout du fil.

— Non, monsieur Cromières, je n'ai envoyé aucun communiqué à la presse et je n'ai invité ni journalistes ni photographes comme le font volontiers messieurs les ministres. Quant à votre seconde question, je n'ai rien de nouveau à vous apprendre, ni aucune idée, comme vous dites, et, si je découvre quelque chose, j'en ferai aussitôt rapport au juge d'instruction...

Il surprit un regard furtif de Jaquette en direction de Janvier. Elle semblait prendre celui-ci à témoin de la colère mal contenue du commissaire et il y avait un léger sourire sur ses lèvres, un peu comme si elle eût dit à l'inspecteur :

« Eh bien, votre patron... »

Maigret entraîna son compagnon dans le couloir.

— Je fais un saut chez le notaire. Continue de lui poser des questions, sans trop la presser, gentiment, tu vois ce que je veux dire. Peut-être auras-tu plus de chance que moi de la séduire.

C'était vrai. S'il avait prévu, dès le matin, qu'il aurait affaire à une vieille fille coriace, il aurait emmené le jeune Lapointe plutôt que Janvier car, de toute la P.J., c'était Lapointe qui réussissait le mieux auprès des femmes d'un certain âge. L'une d'elles ne lui avait-elle pas dit en hochant la tête :

« — Je me demande comment un jeune homme aussi bien élevé que vous peut faire ce métier-là... »

Elle avait ajouté :

« — Je suis sûre que vous devez en souffrir. »

Le commissaire se retrouvait dans la rue, où les journalistes n'avaient laissé qu'un des leurs en faction pendant qu'ils allaient se rafraîchir dans un bistrot des environs.

— Rien de nouveau, vieux... Pas la peine de me suivre...

Il n'allait pas loin. On n'avait jamais à aller loin dans cette affaire. On aurait dit que, pour tous ceux qui y étaient mêlés, de près ou de loin, Paris se réduisait à quelques rues aristocratiques.

La maison du notaire, rue de Villersexel,

était de la même époque, du même style que celle de la rue Saint-Dominique, avec une porte cochère aussi, un vaste escalier à tapis rouge et un ascenseur qui devait monter doucement, sans bruit. Il n'eut pas à le prendre, car l'étude était au premier étage. Les boutons de cuivre de la double porte étaient bien astiqués, comme la plaque invitant les visiteurs à entrer sans sonner.

— Si je me trouve encore en face d'un vieillard...

Il fut agréablement surpris d'apercevoir, parmi les clercs, une jolie femme d'une trentaine d'années.

— Maître Aubonnet, s'il vous plaît.

Certes, le bureau était un peu trop feutré, un tantinet solennel, mais on ne le fit pas attendre et on l'introduisit presque tout de suite dans une vaste pièce où un homme, âgé à peine de quarante-cinq ans, se leva pour l'accueillir.

— Commissaire Maigret... Je viens vous voir au sujet d'un de vos clients, le comte de Saint-Hilaire...

Et son interlocuteur lui répondait en souriant :

— Dans ce cas, ce n'est pas moi que cela regarde, mais mon père. Je vais voir s'il est libre en ce moment...

M. Aubonnet fils passait dans une autre pièce et y restait un certain temps.

— Par ici, voulez-vous, monsieur Maigret...

Bien entendu, le commissaire se trouvait, cette fois, en présence d'un vrai vieillard, qui n'était même pas en fort bon état. Aubonnet père était assis, les paupières clignotantes, au fond d'un fauteuil à haut dossier et avait la mine ahurie d'un homme qu'on vient d'arracher à sa sieste.

— Parlez assez fort..., recommandait le fils en se retirant.

Maître Aubonnet avait dû être très gros. Il avait conservé un certain embonpoint, mais son corps était mou, avec des plis partout. Un pied était chaussé d'un soulier, l'autre, à la cheville enflée, d'une pantoufle de feutre.

— Je suppose que vous venez me parler de mon pauvre ami ?...

La bouche était molle aussi, et les syllabes qui en sortaient formaient une sorte de bouillie. Par contre, il n'était pas besoin de poser de questions pour déclencher son bavardage.

— Figurez-vous que Saint-Hilaire et moi nous sommes connus à Stanislas... Cela fait combien d'années ?... Attendez... J'ai soixante-dix-sept ans... Il y a donc soixante ans que nous étions ensemble en rhétorique... Il se destinait à la Carrière... Mon rêve, à moi, était d'entrer au cadre noir de Saumur... Il y avait encore des chevaux, à cette époque... Les cavaliers n'étaient pas motorisés... Savez-vous que je n'ai jamais eu l'occasion de faire du cheval de ma vie ?... Tout cela, parce que j'étais fils unique et qu'il fallait bien que je reprenne l'étude de mon père...

Maigret ne lui demanda pas si ce père habitait déjà la même maison.

— Saint-Hilaire, dès le collège, était un bon vivant, mais un bon vivant d'une espèce assez rare, raffiné jusqu'au bout des ongles...

— Je suppose qu'il a laissé un testament entre vos mains ?

— Son neveu, le petit Mazeron, m'a posé la même question tout à l'heure. Je l'ai rassuré...

— C'est le neveu qui hérite de tous les biens ?

— Pas de tous les biens, non. Je connais le testament par cœur, puisqu'il a été rédigé par mes soins.

— Il y a longtemps ?

— Le dernier date d'une dizaine d'années.

— Les testaments précédents étaient différents ?

— Seulement par des détails. Je n'ai pas pu montrer l'acte au neveu, étant donné que toutes les personnes intéressées doivent être présentes.

— Quelles sont-elles ?

— Grosso modo, Alain Mazeron hérite de l'immeuble de la rue Saint-Dominique et, en général, de la fortune, qui n'est d'ailleurs pas très importante. Jaquette Larrieu, la gouvernante, reçoit une rente viagère qui lui permettra de finir confortablement ses jours. Quant aux meubles, bibelots, tableaux, objets personnels, Saint-Hilaire les lègue à une vieille amie...

— Isabelle de V...

— Je vois que vous êtes au courant.

— Vous la connaissez ?

— Assez bien. Je connaissais surtout son mari, qui était un de mes clients.

N'était-ce pas assez surprenant de voir les deux hommes choisir le même notaire ?

— Ils ne craignaient pas de se rencontrer dans votre étude ?

— Cela ne s'est jamais produit. Ils n'y ont probablement pas pensé et je me demande si cela les aurait tellement gênés. Voyez-vous, ils étaient faits, sinon pour être amis, tout au moins pour s'estimer, car tous les deux étaient hommes d'honneur et, en outre, hommes de goût...

Jusqu'aux mots qui semblaient surgir du passé ! Il y avait longtemps, en effet, que Maigret n'avait entendu l'expression *homme d'honneur*.

Le vieux notaire, dans son fauteuil, riait silencieusement à une pensée fugace.

— Des hommes de goût, oui ! répétait-il, malicieux. On pourrait ajouter qu'ils avaient, dans certain domaine, des goûts identiques... Maintenant qu'ils sont morts, je ne crois pas trahir le secret professionnel en vous racontant ça, d'autant plus que vous êtes tenu à la discrétion, vous aussi... Un notaire est presque toujours un confident...

Saint-Hilaire était par surcroît un vieil ami qui venait me raconter ses frasques... Pendant près d'un an, le prince et lui ont eu la même maîtresse, une belle fille à la poitrine opulente qui jouait dans je ne sais plus quelle revue des Boulevards... Ils l'ignoraient... Chacun avait son jour...

Le vieillard regardait Maigret d'un œil égrillard. lecherons

— Ces gens-là savaient vivre... Depuis plusieurs années, je ne m'occupe guère de l'étude, où mon fils aîné a pris ma place... Je descends pourtant chaque jour dans mon bureau et je continue à assister mes anciens clients...

— Saint-Hilaire avait-il des amis ?

— Il en a été de ses amis comme des clients dont je vous parle. A notre âge, on voit les gens mourir les uns après les autres. Je crois bien qu'à la fin j'étais le dernier à qui il rendît visite. Il avait gardé de bonnes jambes, lui, et faisait encore sa promenade chaque jour. Il lui arrivait de monter me voir, de s'asseoir où vous êtes assis...

— De quoi parliez-vous ?

— De notre temps, bien entendu, surtout de ceux que nous avons connus à Stanislas. Je pourrais encore vous citer la plupart des noms. C'est étonnant, le nombre de ceux qui ont fait une grande carrière. Un de nos camarades, qui n'était pas le plus intelligent, a été je ne sais combien de fois président du Conseil et n'est mort que l'an dernier. Un autre fait partie de l'Académie, à titre militaire...

— Saint-Hilaire s'était-il fait des ennemis ?

— Comment s'en serait-il fait ? Sur le plan professionnel, il n'a bousculé personne, comme c'est si souvent le cas aujourd'hui. Ses postes, il les a obtenus en attendant patiemment son tour. Et, dans ses mémoires, il ne s'est livré à aucun règlement de comptes, ce qui explique que peu de gens les aient lues...

— Et du côté des V... ?

Le notaire le regardait avec surprise.

— Je vous ai déjà parlé du prince. Il était au courant, bien entendu, et savait que Saint-Hilaire tiendrait sa parole. Si cela n'avait pas été pour le monde, je suis persuadé qu'Armand aurait été reçu rue de Varenne et qu'il y aurait peut-être eu son couvert mis.

— Le fils est au courant aussi ?

— Certainement.

— Quel homme est-ce ?

— Je ne lui crois pas l'envergure de son père. Il est vrai que je le connais moins. Il paraît plus renfermé, ce qui s'explique par la difficulté, à notre époque, de porter un nom aussi lourd que le sien. La vie mondaine ne l'intéresse pas. On le voit peu à Paris. Il séjourne la plus grande partie de l'année en Normandie, entre sa femme et ses enfants, s'occupant de ses fermes, de ses chevaux...

— Vous l'avez vu récemment ?

— Je le verrai demain, ainsi que sa mère, pour l'ouverture du testament, de sorte que j'aurai probablement à m'occuper des deux successions le même jour.

— La princesse ne vous a pas téléphoné cet après-midi ?

— Pas encore. Si elle lit le journal, ou si quelqu'un lui apprend la nouvelle, elle entrera sans doute en contact avec moi. Je ne comprends toujours pas pourquoi on a assassiné mon vieil ami. Si cela s'était passé ailleurs que chez lui, je jurerais même qu'on s'est trompé de personne.

— Je suppose que Jaquette Larrieu a été sa maîtresse ?

— Ce n'est pas le mot. Remarquez que Saint-Hilaire ne m'en a jamais parlé. Mais je le connaissais. J'ai connu Jaquette aussi, quand elle était jeune, et c'était une bien jolie fille. Or, Armand laissait rarement une jolie fille passer à sa portée sans tenter sa chance. Il faisait ça un peu en esthète, si vous pouvez comprendre. Il y a des chances que, l'occasion aidant...

— Jaquette n'a pas de famille ?

— Je ne lui en connais aucune. Si elle a eu des frères et sœurs, il y a gros à parier qu'ils sont morts depuis longtemps.

— Je vous remercie...

— Je suppose que vous êtes pressé ?

Sachez, en tout cas, que je reste à votre disposition. Vous avez l'air d'un honnête homme, vous aussi, et j'espère bien que vous attraperez la canaille qui a fait ça. *scoundrel*

Toujours l'impression d'être plongé dans un passé révolu, dans un monde comme évaporé. C'en devenait déroutant de retrouver la rue, le Paris vivant, des femmes qui faisaient leur marché en pantalon collant, des bars aux meubles nickelés, des autos trépidant devant un feu rouge.

Il se dirigea vers la rue Jacob, en vain car, sur la porte de la boutique dont les volets étaient baissés, il trouva une carte encadrée de noir qui annonçait :

« *Fermé pour cause de décès dans la famille.* »

Il pressa à plusieurs reprises le bouton de la sonnerie sans obtenir de réponse, passa sur l'autre trottoir pour regarder les fenêtres du premier étage. Elles étaient ouvertes mais on n'entendait aucun bruit. Une femme aux cheveux couleur de cuivre, à la poitrine abondante et molle, jaillit de l'ombre d'une galerie de tableaux.

— Si c'est pour M. Mazeron, il n'est pas chez lui. Je l'ai vu partir vers midi après avoir fermé ses volets.

Elle ignorait où il était allé.

— C'est un homme peu liant...

Maigret verrait Isabelle de V..., bien sûr, mais cette visite l'impressionnait et il préfé-

rait la remettre à plus tard, s'efforcer, auparavant, d'en apprendre un peu plus.

Maigret s'était rarement trouvé aussi
dérouté devant des êtres humains. Est-ce
qu'un psychiatre, un instituteur ou un
romancier aurait été mieux à même de
comprendre des personnages surgis d'un
autre siècle ?

Une seule chose était certaine : le comte
Armand de Saint-Hilaire, doux vieillard
inoffensif et homme d'honneur avait été
assassiné, chez lui, par quelqu'un dont il ne
se méfiait pas...

Le crime crapuleux, accidentel, le crime
anonyme et stupide était exclu, d'abord
parce que rien n'avait disparu, ensuite parce
que l'ancien ambassadeur était paisible-
ment assis devant son bureau quand la
première balle, tirée de près, l'avait atteint
au visage.

Ou bien il était allé lui-même ouvrir la
porte à son visiteur, ou bien celui-ci possédait une clef de l'appartement, encore que
Jaquette affirmât qu'il n'existait que deux
clefs, la sienne et celle du comte.

Maigret, roulant toujours dans sa tête des
pensées assez confuses, entra dans un bar,
commanda un verre de bière et s'enferma
dans la cabine téléphonique.

— C'est vous, Moers ?... Vous avez l'inventaire sous les yeux ?... Voyez donc s'il y
est fait mention d'une clef... Celle de la porte
d'entrée, oui... Comment ?... Oui ?... Où l'a-t-

on trouvée ?... Dans la poche du pantalon ?...
Merci... Rien de nouveau ?... Non... Je ren-
trerai au Quai beaucoup plus tard... Si vous
avez quoi que ce soit à me communiquer,
appelez Janvier, qui est resté rue Saint-
Dominique...

On avait retrouvé, dans la poche du mort,
une des deux clefs et Jaquette avait la sienne
aussi, puisqu'elle s'en était servie pour
ouvrir la porte, le matin, quand Maigret et
l'homme des Affaires étrangères l'avaient
suivie dans le rez-de-chaussée.

On ne tue pas sans mobile. Que restait-il,
le vol une fois exclu ? Un crime passionnel,
entre vieillards ? Un drame d'intérêt ?

Jaquette Larrieu recevait une rente viagère plus que suffisante, le notaire l'avait
affirmé.

Le neveu, de son côté, héritait de l'immeuble et du plus gros de la fortune.

Quant à Isabelle, il était difficile d'imaginer que, son mari à peine mort, l'idée lui soit
venue...

Non ! Aucune explication n'était satisfai-
sante et le Quai d'Orsay de son côté, écartait
catégoriquement tout mobile politique.

— Rue de la Pompe ! lança-t-il au chauffeur d'un taxi jaune.

— Entendu, monsieur le commissaire.

Il y avait longtemps que cela ne le flattait
plus d'être reconnu de la sorte. La concierge
l'envoya au cinquième étage où une petite
femme brune, assez jolie, commença par

entrouvrir la porte avant d'introduire Maigret dans un appartement incendié de soleil.

— Excusez le désordre... J'étais occupée à faire une robe pour ma fille...

Elle portait des pantalons collants, en soie noire, qui moulaient une croupe rebondie.

— Je me doute que vous venez au sujet du crime et je me demande ce que vous espérez de moi.

— Vos enfants ne sont pas ici ?

— Mon aînée est en Angleterre, pour apprendre la langue. Elle vit dans une famille, au pair, et la cadette travaille. C'est pour elle que je...

Elle montrait, sur la table, un tissu léger et coloré dans lequel elle taillait une robe.

— Je suppose que vous avez vu mon mari ?

— Oui.

— Comment réagit-il ?

— Il y a longtemps que vous ne l'avez pas rencontré ?

— Près de trois ans.

— Et le comte de Saint-Hilaire ?

— La dernière fois qu'il est monté ici, c'était un peu avant Noël. Il apportait des cadeaux pour mes filles. Il n'y manquait jamais. Même quand il était en poste à l'étranger et qu'elles étaient encore gamines, il n'oubliait pas Noël et leur envoyait un petit quelque chose. C'est ainsi qu'elles ont des poupées de tous les pays.

Vous pouvez encore les voir dans leur chambre.

Elle n'avait pas plus de quarante ans et elle restait fort attrayante.

— C'est vrai, ce que les journaux écrivent ? Il a été assassiné ?

— Parlez-moi de votre mari.

Tout de suite, le visage devint plus terne.

— Que voulez-vous que je vous dise ?

— Vous avez fait un mariage d'amour ? Si je ne me trompe, il est beaucoup plus âgé que vous.

— De dix ans seulement. Il n'a jamais fait jeune.

— Vous l'avez aimé ?

— Je ne sais pas. Je vivais seule avec mon père, qui était un homme aigri. Il se considérait comme un grand artiste méconnu et souffrait de gagner sa vie en courant les cachets. Je travaillais de mon côté dans un magasin des Grands Boulevards. J'ai rencontré Alain. Vous n'avez pas soif ?

— Merci. Je viens de boire un verre de bière. Continuez...

— Peut-être est-ce son air mystérieux qui m'a attirée. Il n'était pas comme les autres, parlait peu et ce qu'il disait était toujours intéressant. Nous nous sommes mariés et avons eu tout de suite une fille...

— Vous viviez rue Jacob ?

— Oui. J'aimais cette rue-là aussi, et notre petit appartement au premier. A cette époque-là, le comte de Saint-Hilaire était encore ambassadeur, à Washington, si je ne me trompe. Au cours d'un congé, il est venu nous voir, puis nous a reçus rue Saint-Dominique. J'étais très impressionnée par lui.

— Quelles étaient ses relations avec votre mari ?

— Je ne sais comment dire. C'était un homme qui se montrait aimable avec tout le monde. Il paraissait surpris que je sois la femme de son neveu.

— Pourquoi ?

— Ce n'est que longtemps après que j'ai cru comprendre et je ne suis pas encore sûre. Il devait connaître Alain mieux que je le pensais, mieux que moi à cette époque, en tout cas...

Elle s'interrompait, comme inquiète de ce qu'elle venait de dire.

— Je ne voudrais pas vous donner l'impression que je parle ainsi par rancœur, parce que mon mari et moi sommes maintenant séparés. C'est d'ailleurs moi qui suis partie.

— Sans qu'on essaie de vous retenir ?

Ici, les meubles étaient modernes, les murs clairs, et on entrevoyait une cuisine blanche et sans désordre. Des bruits familiers montaient de la rue tandis que s'étalait, assez proche, la verdure du bois de Boulogne.

— Je suppose que vous ne soupçonnez pas Alain ?

— En toute franchise, je ne soupçonne encore personne, mais je n'écarte a priori aucune hypothèse.

— Vous feriez fausse route, j'en suis sûre. A mon avis, Alain est un malheureux qui n'a jamais pu s'adapter et qui ne s'adaptera jamais. N'est-ce pas surprenant que, quittant mon père parce que c'était un homme aigri, j'ai épousé un homme encore plus aigri que lui ? Je ne m'en suis aperçue qu'à la longue. En somme, je ne l'ai jamais vu satisfait et je me demande à présent s'il lui est arrivé de sourire.

« Il est inquiet de tout, de sa santé et de ses affaires, de ce que les gens pensent de lui, du regard des voisins et des clients...

« Tout le monde, croit-il, lui en veut.

« C'est difficile à expliquer. Ne vous moquez pas de ce que je vais dire. Quand je vivais avec lui, j'avais l'impression de l'entendre penser du matin au soir, une pensée énervante comme le tic-tac d'un réveille-matin. Il allait et venait en silence, me regardait tout à coup comme si ses yeux étaient tournés vers l'intérieur où il m'était impossible de savoir ce qui se passait. Il est toujours aussi pâle ? »

— Il est pâle, oui.

— Il l'était déjà quand je l'ai rencontré, le restait à la campagne, à la mer. Une pâleur comme artificielle...

« Et rien ne paraissait au-dehors. Il n'y avait pas de contact possible... Pendant des années, nous avons dormi dans le même lit et il m'arrivait, en m'éveillant, de le regarder comme un étranger.

« Il était cruel... »

Elle essaya de rattraper le mot.

— J'exagère probablement. Il se croyait juste, voulait à toute force être juste. C'était une manie. Il était juste avec minutie et c'est cela qui m'a fait parler de cruauté. Je m'en suis aperçue, surtout, quand nous avons eu des enfants. Il les regardait du même œil qu'il me regardait et qu'il regardait les autres, avec une lucidité froide. S'ils faisaient une petite bêtise, j'essayais de les défendre.

« — A leur âge, Alain...

« — *Il n'y a aucune raison pour qu'ils s'habituent à tricher.*

« C'était un de ses mots favoris. Tricher ! Des petites tricheries ! Des petites lâchetés !...

« Il apportait cette intransigeance dans les menus détails de la vie quotidienne.

« — *Pourquoi as-tu acheté du poisson ?*

« J'essayais d'expliquer que...

« — *J'avais dit du veau.*

« — Quand je suis allée faire mon marché...

« Il répétait, obstiné :

« — *J'avais dit du veau et tu n'avais pas à acheter du poisson.* »

Elle s'interrompit une fois de plus.

— Je ne parle pas trop ? Je ne dis pas de sottises ?

— Continuez.

— J'ai fini. Après des années, j'ai cru comprendre ce que les Américains entendent par cruauté mentale et pourquoi c'est devenu, là-bas, une cause de divorce. Il y a des instituteurs ou des institutrices qui, sans élever la voix, font régner sur leur classe une sorte de terreur.

« Avec Alain, nous étouffions, mes filles et moi, sans même la consolation de le voir partir pour son bureau. Il était en bas, sous nos pieds, du matin au soir, montait dix fois par jour pour observer nos faits et gestes d'un œil glacé.

« Je devais lui rendre des comptes franc par franc. Et, quand je sortais, il exigeait de connaître mon itinéraire, me questionnait ensuite sur les personnes à qui j'avais adressé la parole, sur ce que j'avais dit et ce qu'on m'avait répondu... »

— Vous l'avez trompé ?

Elle ne s'indigna pas. Il sembla même à Maigret qu'elle était tentée de sourire avec une certaine satisfaction, voire une certaine gourmandise, mais qu'elle se retenait.

— Pourquoi me demandez-vous ça ? On vous a parlé de moi ?

— Non.

— Tant que j'ai vécu avec lui, je n'ai rien fait qu'il pût me reprocher.

— Qu'est-ce qui vous a décidée à partir ?

— J'étais à bout. J'étouffais, je vous l'ai dit, et je voulais que mes filles grandissent dans une atmosphère plus respirable.

— Vous n'aviez pas de raison plus personnelle de reprendre votre liberté ?

— Peut-être.

— Vos filles le savent ?

— Je ne leur ai pas caché que j'ai un ami et elles me donnent raison.

— Il vit avec vous ?

— Je vais le voir chez lui. C'est un veuf, de mon âge, qui n'a pas été plus heureux avec sa femme que moi avec mon mari, de sorte que nous avons l'air de recoller les morceaux.

— Il habite le quartier ?

— Dans la maison même, deux étages en dessous. Il est médecin. Vous verrez sa plaque sur la porte. Si, un jour, Alain consent au divorce, nous avons l'intention de nous marier, mais je doute qu'il en arrive là. Il est très catholique, par tradition plutôt que par conviction.

— Votre mari gagne bien sa vie ?

— Avec des hauts et des bas. Quand je l'ai quitté, il a été convenu qu'il me verserait une modeste pension pour les enfants. Il a tenu parole pendant quelques mois. Puis il y a eu des retards. Et, enfin, il n'a plus rien versé du tout, sous prétexte qu'elles étaient assez grandes pour gagner leur vie. Cela ne fait quand même pas de lui un assassin, n'est-ce pas ?

— Vous étiez au courant de la liaison de son oncle ?

— Vous parlez d'Isabelle ?

— Avez-vous appris que le prince de V... est mort dimanche matin et qu'on l'a enterré aujourd'hui ?

— Je l'ai lu dans le journal.

— Pensez-vous que, si Saint-Hilaire avait vécu, il aurait épousé la princesse ?

— C'est vraisemblable. Il a espéré toute sa vie qu'ils seraient un jour unis. Cela m'attendrissait de l'entendre parler d'elle comme d'un être à part, d'une créature quasi-surnaturelle, alors que c'était un homme qui appréciait les réalités de l'existence, parfois même un peu trop...

Cette fois, elle souriait franchement.

— Un jour, il y a longtemps, que j'étais allée le voir je ne sais plus pour quoi, j'ai eu assez de mal à lui échapper des mains. Il n'en était pas gêné. A ses yeux, c'était tout naturel...

— Votre mari l'a appris ?

Elle haussa les épaules.

— Bien sûr que non.

— Il était jaloux ?

— A sa façon. Nous avions peu de rapports, si vous voyez ce que je veux dire, et c'était toujours froid, presque mécanique. Ce qu'il aurait condamné, ce n'est pas que je sois attirée par un autre homme, mais que je commette une faute, un péché, une trahison, un acte qu'il considérait comme malpropre.

Excusez-moi si j'en ai trop dit et si j'ai l'air de l'accabler, ce qui n'est pas le cas. Vous avez constaté que je ne me fais pas meilleure que je ne suis. Je n'en ai plus pour longtemps à me sentir femme et j'en profite...

Elle avait la bouche charnue, les yeux pétillants. Depuis quelques minutes, elle croisait et décroisait les jambes.

— Vous ne voulez vraiment pas boire quelque chose ?

— Je vous remercie. Il est temps que je m'en aille.

— Je suppose que tout ceci restera entre nous ?

Il lui sourit, se dirigea vers la porte où elle lui tendit une main potelée et chaude.

— Je vais continuer la robe de ma fille, murmura-t-elle comme à regret.

Ainsi, il venait quand même de sortir, pour un moment, du cercle des vieilles gens. Quittant l'appartement de la rue de la Pompe, c'était sans étonnement qu'il retrouvait la rue, ses bruits et ses odeurs.

Il trouva tout de suite un taxi et se fit conduire rue Saint-Dominique. Avant d'entrer dans l'immeuble, il alla quand même boire le verre de bière qu'il avait refusé chez Mme Mazeron et, dans le bar, il coudoya des chauffeurs de ministères et de grandes maisons.

Le reporter était resté à son poste.

— Vous voyez que je n'ai pas essayé de

vous suivre. Vous ne pouvez pas me dire qui vous êtes allé voir ?

— Le notaire.

— Il vous a appris du nouveau ?

— Rien.

— Toujours aucune piste ?

— Aucune.

— On est sûr qu'il ne s'agit pas d'une affaire politique ?

— Il paraît.

L'agent en uniforme était là aussi. Maigret sonna à la porte, près de la cage d'ascenseur. Janvier qui vint lui ouvrir, sans veston, et Jaquette n'était pas dans le bureau.

— Qu'est-ce que tu en as fait ? Tu l'as laissée sortir ?

— Non. Elle a essayé, après le coup de téléphone, en prétendant qu'il ne restait rien à manger dans la maison.

— Où est-elle ?

— Dans sa chambre. Elle se repose.

— De quel coup de téléphone parles-tu ?

— Une demi-heure après votre départ, le téléphone a sonné et c'est moi qui ai décroché. J'ai entendu une voix de femme, assez faible, au bout du fil.

« — Qui est à l'appareil ? a-t-elle demandé.

« Au lieu de répondre, j'ai questionné à mon tour :

« — Qui appelle ?

« — Je voudrais parler à Mlle Larrieu.

101

« — De la part de qui ?

« Il y a eu un silence, puis :

« — De la princesse de V...

« Pendant ce temps-là, la Jaquette me regardait comme quelqu'un qui sait de quoi il s'agit.

« — Je vous la passe.

« Je lui ai tendu l'appareil et elle a dit tout de suite :

« — C'est moi, Madame la princesse... Oui... J'aurais bien voulu y aller, mais ces messieurs ne me permettent pas de sortir... Il y en a eu plein l'appartement, avec toutes sortes d'appareils... Ils ont passé des heures à me poser des questions et, maintenant encore, un inspecteur m'écoute... »

Janvier ajoutait :

— Elle avait l'air de me défier. Ensuite, elle a surtout écouté.

« — Oui... Oui, Madame la princesse... Oui... Je comprends... Je ne sais pas... Non... Oui... J'essayerai... Je voudrais bien, moi aussi... Merci, Madame la princesse... »

— Que t'a-t-elle dit ensuite ?

— Rien. Elle a repris sa place sur la chaise. Après un quart d'heure de silence, elle a murmuré à regret :

« — Je suppose que vous n'allez pas me laisser sortir ? Même s'il n'y a plus rien à manger dans la maison et si je dois me passer de dîner ?

« — On s'occupera de cela tout à l'heure.

« — Dans ce cas, je ne vois pas ce que

nous faisons l'un en face de l'autre et je préfère aller me reposer. C'est permis ?

« Depuis, elle est dans sa chambre. Elle a fermé la porte à clef. »

— Il n'est venu personne ?

— Non. Des coups de téléphone, d'une agence de presse américaine, de journaux de province...

— Tu n'as rien pu tirer de Jaquette ?

— Je lui ai posé des questions aussi innocentes que possible, dans l'espoir de la mettre en confiance. Elle s'est contentée de déclarer d'un ton narquois : *sneering*

« — Jeune homme, ce n'est pas à un vieux singe qu'on apprend des grimaces. Si votre patron s'est figuré que j'allais vous faire des confidences... »

— On n'a pas appelé du Quai ?

— Non. Seulement le juge d'instruction.

— Il désire me voir ?

— Il demande que vous l'appeliez si vous avez du nouveau. Il a reçu la visite d'Alain Mazeron.

— Et tu ne le disais pas ?

— Je gardais ça pour la fin. Le neveu est donc allé le trouver pour se plaindre que vous ayez lu, sans son autorisation, la correspondance privée de Saint-Hilaire. Il exige, en tant qu'exécuteur testamentaire, que les scellés soient posés sur l'appartement jusqu'à la lecture du testament.

— Qu'est-ce que le juge lui a répondu ?

— De s'adresser à vous.

— Et Mazeron n'est pas revenu?

— Non. Peut-être est-il en chemin, car il n'y a pas longtemps que j'ai reçu cette communication. Vous pensez qu'il viendra?

Maigret hésita, finit par attirer à lui un annuaire téléphonique où il trouva ce qu'il cherchait puis, debout, l'air grave, ennuyé, il composa un numéro.

— Allô! L'hôtel de V...? Je voudrais parler à la princesse de V... De la part du commissaire Maigret, de la Police Judiciaire... J'attends, oui...

Il y avait dans la pièce comme une qualité différente de silence et Janvier regardait son patron en retenant son souffle. Plusieurs minutes s'écoulèrent.

— Je ne quitte pas, non... Merci... Allô... Commissaire Maigret, oui, madame...

Ce n'était pas sa voix de tous les jours et il ressentait une certaine émotion comme quand, enfant, il s'adressait à la comtesse de Saint-Fiacre.

— J'ai pensé que vous aimeriez peut-être que je prenne contact avec vous, ne fût-ce que pour vous donner quelques détails... Oui... Oui... Quand vous voudrez... Je me présenterai donc rue de Varenne d'ici une heure...

Les deux hommes se regardaient en silence. Maigret finit par pousser un soupir.

— Il vaut mieux que tu restes ici, dit-il enfin. Téléphone à Lucas pour qu'il t'envoie quelqu'un, Lapointe de préférence. La vieille pourra sortir quand elle le désirera et un de vous deux la suivra.

Il avait une heure devant lui. Pour prendre patience, il sortit un paquet de lettres de la bibliothèque au rideau vert.

« *Hier, à Longchamp, je vous ai aperçu, en jaquette, et vous savez combien je vous aime ainsi. Vous aviez au bras une jolie rousse qui...* »

CHAPITRE V

MAIGRET NE
s'attendait pas à trouver une maison qui
sentait encore l'enterrement, comme chez
les petites gens et même chez de bons
bourgeois, avec des relents de cierges et de
chrysanthèmes, une veuve aux yeux rouges,
des parents venus de loin, en grand deuil,
qui mangeaient et qui buvaient. A cause de
son enfance campagnarde, l'odeur d'alcool,
surtout de marc, restait associée pour lui à
la mort et aux obsèques.

« — Bois ça, Catherine, disait-on à la
veuve, avant de partir pour l'église et le
cimetière. Tu as besoin de te remonter. »

Elle buvait en pleurant. Les hommes
buvaient à l'auberge, puis de retour à la
maison.

Si des tentures à larmes d'argent avaient
orné le matin le portail, elles avaient été

enlevées depuis longtemps et la cour d'honneur avait retrouvé son aspect habituel, moitié dans l'ombre, moitié dans le soleil, avec un chauffeur en uniforme qui lavait une longue voiture noire, trois autos, dont une de grand sport, à carrosserie jaune, qui attendaient au pied du perron.

C'était aussi vaste que l'Elysée et Maigret se rappelait que l'hôtel de V... servait souvent de cadre à des bals et à des ventes de charité.

Au-dessus des marches, il poussait la porte vitrée, se trouvait seul dans un hall dallé de marbre. Des portes à deux battants, ouvertes à sa gauche et à sa droite lui permettaient d'apercevoir les salons d'apparat où des objets, sans doute les monnaies anciennes et les tabatières dont on lui avait parlé, étaient exposés comme dans un musée.

Devait-il se diriger vers l'une de ces portes, gravir l'escalier à double volée qui conduisait au premier étage ? Il hésitait quand un maître d'hôtel, venu Dieu sait d'où, s'approcha silencieusement, lui prit son chapeau des mains et murmura, sans lui demander son nom :

— Par ici.

Maigret suivait son cicérone dans l'escalier, traversait, au premier, un autre salon, puis une pièce tout en longueur qui devait être une galerie de tableaux.

On ne le faisait pas attendre. Le domestique entrouvrait une porte, annonçait d'une voix feutrée :

— Le commissaire Maigret.

Le boudoir où il pénétrait ne donnait pas sur la cour d'honneur mais sur un jardin et le feuillage des arbres, plein d'oiseaux, frôlait les deux fenêtres ouvertes.

Quelqu'un se levait d'un fauteuil et il fut un instant sans comprendre que c'était la femme qu'il était venu voir, la princesse Isabelle. Son étonnement devait être visible car elle dit en s'avançant vers lui :

— Vous vous attendiez à me trouver autrement, n'est-ce pas ?

Il n'osait pas répondre que oui. Il se taisait, surpris. D'abord, si elle était vêtue de noir, elle ne donnait pas l'impression d'être en grand deuil, il aurait été en peine de dire pourquoi. Elle n'avait pas non plus les yeux rouges. Elle ne paraissait pas accablée.

Elle était plus petite que sur les photographies mais contrairement à Jaquette, par exemple, elle n'était pas tassée par les ans. Il n'avait pas le temps d'analyser ses impressions. Il le ferait plus tard. Pour le moment, il enregistrait machinalement.

Ce qui le surprenait le plus, c'était de trouver une femme boulotte, aux joues pleines et lisses, au corps potelé. Ses hanches, à peine indiquées par la robe princesse de la photographie dans la chambre de

Saint-Hilaire, étaient devenues aussi larges que celles d'une fermière.

Le boudoir, autour d'eux, était-il la pièce où elle vivait le plus ? Des tapisseries anciennes en garnissaient les murs. Le parquet était luisant, chaque meuble à sa place et, sans raison précise, cela rappelait à Maigret le couvent où, autrefois, il rendait visite à une de ses tantes qui était religieuse.

— Asseyez-vous, je vous en prie.

Elle lui indiquait un fauteuil doré auquel il préféra une chaise, encore qu'il eût peur d'en faire craquer les pieds délicats.

— Ma première idée a été d'aller là-bas, lui confiait-elle en s'asseyant à son tour, mais je me suis rendu compte qu'il ne devait plus y être. On a emmené le corps à l'institut médico-légal, n'est-ce pas ?

Elle n'avait pas peur des mots, des images qu'ils évoquaient. Son visage était serein, presque souriant, et cela aussi rappelait le couvent, la sérénité particulière des bonnes sœurs qui n'ont jamais l'air d'être tout à fait dans la vie.

— Je tiens à le voir une dernière fois. Je vous en parlerai tout à l'heure. Ce qui me presse avant tout c'est de savoir s'il a souffert. Répondez-moi franchement.

— Rassurez-vous, madame. Le comte de Saint-Hilaire a été tué sur le coup.

— Il se tenait dans son bureau ?

— Oui.

— Assis ?

— Oui. Il était occupé, semble-t-il, à corriger des épreuves.

Elle fermait les yeux, comme pour donner à l'image le temps de se former dans son esprit et Maigret s'enhardit assez pour poser une question à son tour :

— Vous êtes déjà allée rue Saint-Dominique ?

— Une seule fois, il y a bien longtemps, avec la complicité de Jaquette. J'avais choisi une heure où j'étais sûre qu'il n'y était pas. Je voulais connaître le décor de sa vie, pouvoir le situer, en pensée, chez lui, dans les différentes pièces.

Une idée la frappait.

— Vous n'avez donc pas lu les lettres ?

Il hésita, préféra avouer la vérité.

— Je les ai parcourues. Pas toutes, cependant...

— Elles sont restées dans la bibliothèque Empire à grillage doré ?

Il faisait oui de la tête.

— Je me doutais que vous les aviez lues. Je ne vous le reproche pas. Je comprends que c'était votre devoir.

— Comment avez-vous appris sa mort ?

— Par ma belle-fille. Philippe, mon fils, est venu de Normandie avec sa femme et ses enfants pour les obsèques. Tout à l'heure, en rentrant du cimetière, ma bru a parcouru un des journaux que les domestiques posent d'habitude sur une table du hall.

— Votre belle-fille est au courant ?

110

Elle le regardait avec une surprise qui frisait la candeur. Si ce n'avait été elle, il aurait peut-être pensé qu'elle jouait un rôle.

— Au courant de quoi ?

— De vos relations avec le comte de Saint-Hilaire.

Son sourire aussi était un sourire de religieuse.

— Mais certainement. Comment n'aurait-elle pas été au courant ? Nous ne nous sommes jamais cachés. Il n'y avait rien de mal entre nous. Armand était un ami très cher...

— Votre fils le connaissait ?

— Mon fils savait tout, lui aussi, et, quand il était enfant, il m'est arrivé de lui montrer Armand de loin. Je crois que, la première fois, c'était à Auteuil...

— Il n'est jamais allé le voir ?

Et elle répondait, non sans logique, sa logique à elle, en tout cas :

— Pour quoi faire ?

Les oiseaux se poursuivaient dans le feuillage en pépiant et une fraîcheur agréable venait du jardin.

— Vous ne prendrez pas une tasse de thé ?

La femme d'Alain Mazeron, elle, rue de Passy, lui avait offert de la bière. Ici, c'était du thé.

— Non. Je vous remercie.

— Dites-moi tout ce que vous savez, monsieur Maigret. Voyez-vous, pendant cinquante ans, j'ai été habituée à vivre en pensée avec lui. Je savais ce qu'il faisait à chaque heure de la journée. Je visitais les villes où il vivait, quand il était encore ambassadeur, et je m'arrangeais avec Jaquette pour jeter un coup d'œil dans ses maisons successives. A quelle heure a-t-il trouvé la mort ?

— Autant que l'on sache, entre onze heures et minuit.

— Il n'était pourtant pas prêt à se coucher.

— Comment le savez-vous ?

— Parce qu'avant de gagner sa chambre, il m'écrivait toujours un petit mot qui terminait sa lettre quotidienne. Il la commençait, chaque matin, d'une façon rituelle :

« *Bonjour, Isi...*

« Comme il m'aurait accueillie au réveil si le sort nous avait permis de vivre ensemble. Il ajoutait quelques lignes puis, au cours de la journée, y revenait pour me raconter ce qu'il avait fait. Invariablement, le soir, ses derniers mots étaient :

« *Bonne nuit, Isi jolie...* »

Elle souriait avec confusion.

— Je vous demande pardon de répéter ce mot-là qui risque de vous faire rire. Pour lui, j'étais restée l'Isabelle de vingt ans.

— Il vous avait revue.

— De loin, c'est vrai. Il savait donc que je suis devenue une vieille femme, mais, pour lui, le présent était moins réel que le passé. Pouvez-vous le comprendre ? Pour moi non plus, il n'avait pas changé. Dites-moi maintenant ce qui s'est passé. Dites-moi tout, sans essayer de me ménager. Quand on atteint mon âge, voyez-vous, c'est qu'on a de la résistance. L'assassin est entré. Qui ? Comment ?

— Quelqu'un est entré, en effet, puisqu'on n'a retrouvé aucune arme dans la pièce ni dans l'appartement. Comme Jaquette affirme qu'elle a fermé la porte vers neuf heures ainsi qu'elle le fait chaque soir, mettant le verrou et la chaîne, force est de croire que le comte de Saint-Hilaire a accueilli lui-même son visiteur. Savez-vous s'il avait l'habitude de recevoir des gens dans la soirée ?

— Jamais. Depuis sa mise à la retraite, il était devenu routinier et il avait adopté un emploi du temps à peu près invariable. Je pourrais vous montrer ses lettres des dernières années... Vous verriez que les premières phrases en sont souvent :

« *Bonjour, Isi.*

« *Je vous salue, comme chaque matin, puisque c'est une nouvelle journée qui commence tandis que je commence, moi, mon petit cirque monotone...*

« Il appelait ainsi ses journées bien réglées, où il n'y avait pas de place pour l'imprévu.

« A moins que je reçoive une lettre au

113

courrier de ce soir... Mais non ! C'était Jaquette qui les postait, le matin, en allant acheter les croissants. Si elle en avait mis une à la boîte aujourd'hui, elle me l'aurait dit au téléphone... »

— Que pensez-vous d'elle ?

— Elle nous était tout dévouée, à Armand et à moi. Lorsqu'il s'est cassé le bras, en Suisse, c'était elle qui écrivait sous sa dictée et quand, plus tard, il a subi une opération, elle m'envoyait une lettre chaque jour pour me tenir au courant.

— Vous ne pensez pas qu'elle était jalouse ?

Elle souriait à nouveau et Maigret avait de la peine à s'y habituer. Tant de calme, de sérénité le surprenait, lui qui s'était attendu à une entrevue plus ou moins dramatique.

On aurait dit que la mort, ici, n'avait pas le même sens qu'ailleurs, qu'Isabelle vivait de plain-pied avec elle, sans peur, comme si cela faisait partie du cheminement normal de la vie.

— Elle était jalouse, mais comme un chien est jaloux de son maître.

Il hésitait à poser certaines questions, à aborder certains sujets et c'était elle qui les mettait sur le tapis avec une simplicité désarmante.

— S'il lui est arrivé, jadis, d'être jalouse autrement, en femme, c'était de ses maîtresses, pas de moi.

114

— Pensez-vous qu'elle ait été sa maîtresse aussi ?

— Elle l'a certainement été.

— Il vous l'a écrit ?

— Il ne me cachait rien, même des choses humiliantes que les hommes hésitent à confier à leur femme. Il m'écrivait, par exemple, il n'y a pas tant d'années :

... « *Jaquette est nerveuse aujourd'hui. Il faudra que, ce soir, je pense à lui donner son plaisir...* »

Elle semblait s'amuser de l'étonnement de Maigret.

— Cela vous surprend ? C'est pourtant si naturel.

— Vous n'étiez pas jalouse non plus ?

— De ça, non. Ma seule peur, c'était qu'il rencontre une femme capable de prendre ma place dans sa pensée. Continuez à me mettre au courant, commissaire. On ne sait donc rien sur son visiteur ?

— Seulement qu'il a tiré une première fois, avec une arme de fort calibre, probablement un automatique 7,65.

— Où Armand a-t-il été touché ?

— A la tête. Le médecin légiste affirme que la mort a été instantanée. Le corps a glissé sur le tapis, au pied du fauteuil. L'assassin, alors, a tiré trois autres coups.

— Pourquoi, puisqu'il était mort ?

— Nous l'ignorons. Le meurtrier s'est-il affolé ? Etait-il dans un état de rage qui lui enlevait son sang-froid ? Il était difficile de répondre dès maintenant à cette question. En cour d'assises, on accuse souvent de cruauté un assassin qui s'est acharné sur sa victime, qui lui a porté, par exemple, un certain nombre de coups de couteau. Or, si j'en crois mon expérience et celle de mes collègues, ce sont presque toujours les timides — je n'ose pas dire les hommes sensibles — qui agissent ainsi. Ils sont pris de panique, refusent de voir souffrir leur victime et perdent la tête...

— Vous croyez que c'est le cas ?

— A moins qu'il s'agisse d'une vengeance, d'une haine longtemps contenue, ce qui est plus rare.

Il commençait à se sentir à son aise devant cette vieille femme qui pouvait tout dire et tout entendre.

— Ce qui contredirait cette version, c'est que le meurtrier, par la suite, ait pensé à ramasser les douilles. Celles-ci devaient être éparpillées dans la pièce, à une certaine distance. Il n'en a pas oublié une, n'a pas non plus laissé d'empreintes digitales. Il reste une dernière question que je me pose, surtout après ce que vous m'avez dit de vos rapports avec Jaquette. Celle-ci, après avoir découvert le corps, ce matin, ne semble pas avoir eu l'idée de vous téléphoner et elle s'est rendue, non pas au commissariat de police, mais au ministère des Affaires étrangères.

— Je crois pouvoir vous expliquer ça.

Tout de suite après la mort de mon mari, le téléphone a sonné presque sans arrêt. Des gens que nous connaissions à peine voulaient des renseignements sur les obsèques, ou désiraient m'exprimer leurs condoléances. Mon fils, exaspéré, a décidé de couper le téléphone.

— Si bien que Jaquette a peut-être essayé de vous appeler ?

— C'est probable. Et, si elle n'est pas venue elle-même pour me mettre au courant, c'est qu'elle savait qu'elle aurait de la peine à m'approcher le jour des obsèques.

— Vous ne connaissiez pas d'ennemis au comte de Saint-Hilaire ?

— Aucun.

— Dans ses lettres, vous parlait-il parfois de son neveu ?

— Vous avez vu Alain ?

— Ce matin.

— Que dit-il ?

— Rien. Il est allé voir Mᵉ Aubonnet. L'ouverture du testament aura lieu demain et le notaire doit se mettre en rapport avec vous car votre présence est nécessaire.

— Je sais.

— Vous connaissez les termes du testament ?

— Armand tenait à me laisser ses meubles et ses objets personnels, de façon à ce que, s'il venait à disparaître avant moi, j'aie quand même un peu l'impression d'avoir été sa femme.

— Vous acceptez ce legs ?

— C'est sa volonté, n'est-ce pas ? La mienne aussi. S'il n'était pas mort, je serais devenue, mon deuil terminé, comtesse de Saint-Hilaire. Cela a toujours été convenu entre nous.

— Votre mari était au courant de ce projet ?

— Mais oui.

— Votre fils et votre belle-fille aussi ?

— Non seulement eux, mais nos amis. Nous n'avons rien à cacher, je le répète. Maintenant, je vais être obligée, à cause du nom que je continue à porter, de vivre dans cette grande maison au lieu d'aller m'installer, comme je l'ai si souvent rêvé, rue Saint-Dominique. L'appartement d'Armand n'en sera pas moins reconstitué ici. Je ne vivrai sans doute pas longtemps, mais, si peu que ce soit, je vivrai dans son cadre, vous comprenez, comme si j'étais sa veuve.

Il se produisait, chez Maigret, un phénomène qui l'agaçait. Tantôt il était conquis par cette femme si différente de tout ce qu'il avait connu. Pas seulement par elle, mais par la légende qu'elle et Saint-Hilaire avaient créée et dans laquelle ils avaient vécu.

A première vue, c'était aussi absurde qu'un conte de fées ou que les histoires édifiantes des livres de lecture.

Ici, devant elle, il se surprenait à y croire. Il adoptait leur façon de voir, de sentir, un peu comme, au couvent de sa tante, il marchait sur la pointe des pieds, parlait à voix basse, empli d'onction et de piété.

Puis, tout à coup, il regardait son interlocuteur d'un autre œil, celui de l'homme du Quai des Orfèvres, et il était pris de révolte.

Est-ce qu'on ne se jouait pas de lui ? Est-ce que ces gens-là, Jaquette, Alain Mazeron, sa femme aux pantalons collants, Isabelle, et jusqu'au notaire Aubonnet, ne s'étaient pas donné le mot ?

Il y avait un mort, un vrai cadavre, le crâne ouvert, le ventre béant. Cela supposait un assassin et ce n'était pas le premier voyou venu qui avait pu pénétrer chez l'ancien ambassadeur et le tuer à bout portant sans qu'il se méfie et tente de se défendre.

Maigret avait appris, avec les années, qu'on ne tue pas sans motif, sans un motif grave. Et même si, en l'occurrence, il s'agissait d'un fou ou d'une folle, c'était une personne en chair et en os, qui vivait dans l'entourage de la victime.

Est-ce que Jaquette, à la méfiance agressive, était folle ? Est-ce que Mazeron, que sa femme accusait de cruauté mentale, était fou ? Etait-ce Isabelle qui n'avait pas toute sa raison ?

Chaque fois qu'il pensait de la sorte, il était prêt à changer d'attitude, à poser des questions cruelles, ne fût-ce que pour faire fondre cette suavité contagieuse.

Et, chaque fois, un regard étonné ou candide, ou encore un regard malicieux de la princesse le désarmait, lui faisait honte.

— En somme, vous n'avez aucune idée de la personne qui aurait pu avoir intérêt à tuer Saint-Hilaire ?

— Intérêt, sûrement pas. Vous connaissez aussi bien que moi les grandes lignes du testament.

— Et si Alain Mazeron avait besoin d'argent ?

— Son oncle lui en donnait lorsque c'était le cas et il lui aurait de toute façon laissé sa fortune.

— Mazeron le savait ?

— Je n'en doute pas. Mon mari mort, Armand et moi nous serions mariés, c'est vrai, mais je n'aurais pas accepté que ma famille hérite de lui.

— Et Jaquette ?

— Elle n'ignorait pas que ses vieux jours étaient assurés.

— Elle n'ignorait pas non plus votre intetion d'aller vivre rue Saint-Dominique.

— Elle s'en faisait fête.

Quelque chose, en Maigret, protestait. Tout cela était faux, inhumain.

— Et votre fils ?

Elle attendait, surprise, qu'il précise sa pensée et, comme Maigret se taisait, demandait à son tour :

— Qu'est-ce que mon fils a à voir dans cette affaire ?

— Je ne sais pas. Je cherche. Il est désormais l'héritier du nom.

— Il le serait resté si Armand avait vécu. Evidemment ! Mais n'aurait-il pas pu considérer comme une déchéance que sa mère se remarie avec Saint-Hilaire ?

— Votre fils était ici, hier au soir ?

— Non. Il est descendu avec sa femme et ses enfants dans un hôtel de la place Vendôme où ils ont l'habitude de résider quand ils viennent à Paris.

Maigret fronçait les sourcils, regardait les murs comme si, à travers, il mesurait l'immensité de l'immeuble de la rue de Varenne. N'y avait-il pas un nombre important de pièces vides, des appartements inoccupés ?

— Vous voulez dire que, depuis qu'il est marié, il n'a jamais habité cette demeure ?

— D'abord, il est rarement à Paris, jamais pour longtemps, car il a horreur de la vie mondaine.

— Sa femme aussi ?

— Oui. Les premiers temps de leur mariage, ils avaient leur appartement dans la maison. Puis ils ont eu un enfant, un second, un troisième...

— Ils en ont combien ?

— Six. L'aîné a vingt ans, le plus jeune sept. Je vais peut-être vous scandaliser, mais je ne peux pas vivre avec des enfants. C'est une erreur de croire que toutes les femmes sont faites pour être mères. J'ai eu Philippe, parce que c'était mon devoir. Je me suis occupée de lui autant que je devais le faire. Je n'aurais pas pu supporter, des années plus tard, d'entendre des cris et des galopades dans la maison. Mon fils le sait. Sa femme aussi.

— Ils ne vous en veulent pas ?

— Ils me prennent telle que je suis, avec mes défauts et mes lubies. *whim*

— Vous étiez seule ici, hier soir ?

— Avec les domestiques et deux religieuses qui veillaient dans la chapelle ardente. L'abbé Gauge, mon directeur de conscience et en même temps un vieil ami, est resté jusque dix heures.

— Vous me disiez tout à l'heure que votre fils et sa famille étaient à présent dans la maison.

— Ils m'attendent pour me dire au revoir, tout au moins ma bru et les enfants. Vous avez dû voir leur voiture dans la cour. Ils repartent pour la Normandie, sauf mon fils qui doit m'accompagner demain chez le notaire.

— Me permettez-vous d'avoir un bref entretien avec votre fils ?

— Pourquoi pas ? Je m'attendais à cette demande. Je pensais même que vous voudriez voir toute la famille et c'est pourquoi j'ai demandé à ma belle-fille de retarder son départ.

Etait-ce de la simplicité ? Un défi ? Pour en revenir à la théorie du médecin anglais, un instituteur aurait-il été plus à même de démêler la vérité que Maigret ?

Il se sentait plus humble que jamais, plus désarmé, devant des êtres humains sur lesquels il s'efforçait de porter un jugement.

— Venez par ici.

Elle le conduisait à travers la galerie, s'arrêtait un instant, la main sur la poignée d'une porte derrière laquelle on entendait des voix.

Elle l'ouvrait, prononçait simplement :

— Le commissaire Maigret...

Et, dans une vaste pièce, le commissaire apercevait d'abord un enfant qui mangeait un gâteau, puis une fille d'une dizaine d'années qui, à voix basse, demandait quelque chose à sa mère.

Celle-ci était une grande femme blonde, d'une quarantaine d'années, de peau très rose, elle faisait penser à une de ces fortes Hollandaises qu'on voit sur les chromos et les cartes postales.

Un garçon de treize ans regardait par la fenêtre. La princesse faisait les présentations et Maigret enregistrait les images morceau par morceau, quitte à les rassembler plus tard comme les pièces d'un puzzle.

— Frédéric, l'aîné...

Un jeune homme tout en longueur, blond comme sa mère, s'inclinait légèrement sans tendre la main.

— Il se destine à la diplomatie, lui aussi.

Il y avait une autre fille, de quinze ans, un garçon de douze ou treize.

— Philippe n'est pas ici ?

— Il est descendu voir si la voiture est prête.

On avait l'impression que la vie était suspendue, comme dans une salle d'attente de gare.

— Venez par ici, monsieur Maigret.

Ils suivaient un autre couloir au bout duquel ils rencontraient un homme de haute taille qui les regardait venir avec ennui.

— Je vous cherchais, Philippe. Le commissaire Maigret aimerait avoir un moment d'entretien avec vous. Où voulez-vous le recevoir ?

Philippe tendait la main, un peu distrait, semblait-il, mais assez curieux de voir de près un policier.

— N'importe où. Ici.

Il poussait une porte, celle d'un bureau aux tentures rouges où on voyait des portraits d'ancêtres sur les murs.

— Je vous quitte, monsieur Maigret, en vous demandant de ne pas me laisser sans nouvelles. Dès que le corps sera ramené rue Saint-Dominique, soyez assez gentil pour me faire signe.

Elle disparaissait, légère, immatérielle.

— Vous désirez me parler ?

De qui était-ce le bureau ? Probablement de personne, car rien n'indiquait qu'on y eût jamais travaillé. Philippe de V... désignait un siège, tendait son étui à cigarettes.

— Merci.

— Vous ne fumez pas ?

— Seulement la pipe.

— Moi aussi, d'habitude. Mais pas dans cette maison. Ma mère a horreur de ça.

Il y avait dans sa voix une sorte d'ennui, peut-être d'impatience.

— Je suppose que vous désirez me parler de Saint-Hilaire ?

— Vous savez qu'il a été assassiné la nuit dernière ?

— Ma femme me l'a dit tout à l'heure. C'est une curieuse coïncidence, avouez-le.

— Vous voulez dire que sa mort pourrait avoir un rapport avec celle de votre père ?

— Je ne sais pas. Le journal est muet sur les circonstances du crime. Je suppose que le suicide est hors de question ?

— Pourquoi demandez-vous ça ? Le comte avait-il des raisons de se suicider ?

— Je n'en vois aucune, mais on ne peut savoir ce qui se passe dans la tête des gens.

— Vous le connaissiez ?

— Ma mère me l'a montré, quand j'étais enfant. Plus tard, il m'est arrivé de le rencontrer.

— Vous lui avez parlé ?

— Jamais.

— Vous lui en vouliez ?

— Pourquoi ?

Lui aussi paraissait sincèrement étonné

des questions qu'on lui posait. Lui aussi avait l'air d'un honnête homme qui n'avait rien à cacher.

— Ma mère lui a voué toute sa vie une sorte d'amour mystique dont nous n'avions pas à rougir. Mon père, d'ailleurs, était le premier à en sourire avec une pointe d'attendrissement.

— Quand êtes-vous arrivé de Normandie ?

— Dimanche après-midi. J'étais venu, seul, la semaine dernière, après l'accident de mon père, puis j'étais reparti, car ses jours ne paraissaient pas en danger. J'ai été surpris, dimanche, quand ma mère m'a téléphoné qu'il avait succombé à une crise d'urémie.

— Vous avez voyagé avec votre famille ?

— Non. Ma femme et les enfants ne sont arrivés que lundi. Sauf mon fils aîné, bien entendu, qui est interne à Normale.

— Votre mère vous a-t-elle parlé de Saint-Hilaire ?

— Que voulez-vous dire ?

— Ma question est peut-être ridicule. Vous a-t-elle dit, à un moment donné, qu'elle allait pouvoir épouser le comte ?

— Elle n'a pas eu besoin de m'en parler. Je savais depuis longtemps que, si mon père mourait avant elle, ce mariage aurait lieu.

— Vous n'avez jamais partagé la vie mondaine de votre père ?

126

Tout cela semblait le surprendre et il réfléchissait avant de répondre.

— Je crois comprendre votre point de vue. Vous avez vu la photographie de mon père et de ma mère dans les magazines, soit lorsqu'ils se rendaient dans quelque cour étrangère, soit quand ils assistaient à un grand mariage ou à des fiançailles princières. J'ai assisté à certaines de ces manifestations, évidemment, quand j'avais de dix-huit à vingt-cinq ans. Je dis vingt-cinq ans au petit bonheur. Ensuite, je me suis marié et j'ai habité la campagne. Vous a-t-on dit que je suis sorti de l'école d'agriculture de Grignon ? Mon père m'a donné une de ses propriétés, en Normandie, et nous y vivons en famille. Est-ce ça que vous vouliez savoir ?

— Vous n'avez aucun soupçon ?

— Quant à l'assassin de Saint-Hilaire ?

Il sembla à Maigret que la lèvre de son interlocuteur avait eu un léger frémissement, mais il n'aurait pas osé l'affirmer.

— Non. On ne peut pas parler de soupçon.

— Une idée vous est quand même venue ?

— Elle ne tient pas debout et je préfère n'en pas parler.

— Vous avez pensé à quelqu'un dont la vie allait être changée par la mort de votre père ?

Philippe de V... leva les yeux qu'il avait baissés un instant.

— Mettons que cela me soit passé par la tête mais que je ne m'y sois pas arrêté. J'ai tant entendu parler de Jaquette et de son dévouement...

Il paraissait mécontent du tour de l'entretien.

— Je ne veux pas vous bousculer. Je dois dire au revoir à ma famille et j'aimerais qu'elle arrive à la maison avant la nuit.

— Vous restez quelques jours à Paris ?

— Jusqu'à demain soir.

— Place Vendôme ?

— Ma mère vous l'a dit ?

— Oui. Par acquit de conscience, je vous pose une dernière question, en vous priant de ne pas en prendre ombrage. J'ai été obligé de la poser à votre mère aussi.

— Où j'étais hier soir, je suppose ? A quelle heure ?

— Mettons entre dix heures du soir et minuit.

— Cela fait un laps de temps assez long. Attendez ! J'ai dîné ici avec ma mère.

— Seul avec elle ?

— Oui. Je suis parti vers neuf heures et demie quand est arrivé l'abbé Gauge, pour qui j'ai peu de sympathie. Je suis rentré à l'hôtel afin d'embrasser ma femme et les enfants.

Un silence. Philippe de V... regardait droit devant lui, hésitant, embarrassé.

— J'ai ensuite pris l'air aux Champs-Elysées...

— Jusqu'à minuit ?

— Non.

Cette fois-ci, il regardait Maigret en face, avec un sourire un peu honteux.

— Cela vous paraîtra curieux, étant donné mon deuil si récent. Il s'agit pour moi d'une sorte de tradition. A Genestoux, je suis trop connu pour me permettre la moindre aventure et l'idée ne m'en vient même pas. Est-ce à cause de mes souvenirs de jeunesse ? J'ai l'habitude, chaque fois que je suis à Paris, de passer une heure ou deux avec une jolie femme. Comme je tiens à ce que cela n'ait pas de lendemain et à ce que ma vie n'en soit pas compliquée, je me contente...

Il faisait un geste vague.

— Aux Champs-Elysées ? questionna Maigret.

— Je ne le dirais pas devant ma femme, qui ne le comprendrait pas. Pour elle, en dehors d'un certain monde...

— Quel est le nom de jeune fille de votre femme ?

— Irène de Marchangy... Je puis préciser, si cela vous est utile, que ma compagne d'hier est brune, pas très grande, qu'elle portait une robe vert pâle et qu'elle a une tache de beauté sous le sein. Je crois que c'est le gauche, mais n'en suis pas sûr.

— Vous êtes allé chez elle ?

— Je suppose qu'elle habite l'hôtel de la rue de Berry où elle m'a conduit, car il y avait des vêtements dans l'armoire et des objets personnels dans la salle de bains.

Maigret sourit.

— Je m'excuse d'avoir insisté et je vous remercie de votre patience.

— Vous êtes rassuré en ce qui me concerne ? Par ici ! je vous laisse descendre seul, car j'ai hâte que...

Il regardait sa montre, tendait la main.

— Je vous souhaite bonne chance !

Dans la cour d'honneur, un chauffeur attendait près d'une limousine dont le moteur tournait avec un léger bourdonnement à peine perceptible.

Cinq minutes plus tard, Maigret plongeait littéralement dans l'épaisse atmosphère d'un bistrot et commandait de la bière.

CHAPITRE VI

Il FUT REVEILLE
par le soleil qui entrait par les fentes des
persiennes et, d'un geste qui, après tant
d'années, était devenu machinal, il avança
la main vers la place de sa femme. Les draps
étaient encore tièdes. De la cuisine lui par-
vint, en même temps que l'odeur du café
qu'on venait de moudre, un léger sifflement,
celui de l'eau qui chantait dans la bouilloire.

Ici aussi, comme dans l'aristocratique rue
de Varenne, des oiseaux piaillaient dans les
arbres, moins près des fenêtres, et Maigret
ressentait un bien-être physique auquel se
mêlait pourtant quelque chose d'encore
vague et de déplaisant.

Il avait eu une nuit agitée. Il se rappelait
avoir fait de nombreux rêves et même, une
fois au moins, s'être éveillé en sursaut.

Sa femme, à certain moment, ne lui avait-elle pas parlé à mi-voix en lui tendant un verre d'eau ?

C'était compliqué de se souvenir. Plusieurs histoires s'étaient enchevêtrées et il en perdait sans cesse le fil. Elles avaient un caractère commun : dans toutes, il jouait un rôle humiliant.

Une image lui revenait, plus nette que les autres, celle d'un endroit qui ressemblait à l'hôtel des V..., en beaucoup plus vaste mais en moins riche. Cela tenait du couvent et des bureaux de ministère, avec des couloirs interminables et une infinité de portes.

Ce qu'il venait faire n'était pas net dans son esprit. Il savait seulement qu'il avait un but à atteindre et que c'était d'une importance capitale. Or, il ne trouvait personne pour le guider. Pardon le lui avait bien dit en le quittant dans la rue. Il ne voyait pas le docteur Pardon dans son rêve, ni la rue. Il n'en était pas moins sûr que son ami l'avait prévenu.

La vérité, c'est qu'il n'avait pas le droit de demander son chemin. Il avait essayé, au début, avant de comprendre que cela ne se faisait pas. Les vieillards se contentaient de le regarder en souriant et de hocher la tête.

Car il y avait des vieillards partout. C'était peut-être une maison de retraite, ou un asile, bien que cela n'y ressemblât pas. Il reconnaissait Saint-Hilaire, très étroit, le visage rose sous ses cheveux blancs et soyeux. Un fort bel homme, qui le savait et semblait se moquer du commissaire. Maître Aubonnet était assis dans un fauteuil à roues caoutchoutées et s'amusait à rouler très vite le long d'une galerie.

Il y en avait beaucoup d'autres, y compris le prince de V..., une main sur l'épaule d'Isabelle, observant avec indulgence les efforts de Maigret.

La situation du commissaire était délicate, parce qu'on ne l'avait pas encore initié et qu'on refusait de lui dire quelles épreuves il avait à passer.

Il était dans la position d'un bleu de l'armée, d'un nouveau dans une école. On lui faisait des farces. Chaque fois, par exemple, qu'il voulait pousser une porte, elle se refermait d'elle-même, ou bien, au lieu de s'ouvrir sur une chambre ou un salon, c'était un nouveau corridor qui s'amorçait.

Seule, la vieille comtesse de Saint-Fiacre était disposée à l'aider. N'ayant pas le droit de parler, elle s'efforçait de lui faire comprendre, par gestes, ce qui n'allait pas. Elle lui montrait par exemple, ses propres genoux et, en baissant les yeux, Maigret découvrait qu'il était en culottes courtes.

Mme Maigret, dans la cuisine, versait enfin l'eau sur le café. Maigret ouvrait les yeux, renfrogné au souvenir de ce rêve stupide. En somme, il avait posé une sorte de candidature, comme dans un cercle qui, en l'occurrence, était le cercle des vieillards.

Et, si on ne l'avait pas pris au sérieux, c'était parce qu'on le considérait comme un gamin.

Même assis sur son lit, il était encore vexé, suivant d'un regard vague sa femme qui, après avoir posé une tasse de café sur la table de nuit, ouvrait les persiennes.

— Tu n'aurais pas dû manger d'escargots hier soir...

Pour se changer les idées après une journée décevante, il l'avait emmenée dîner au restaurant et il avait mangé des escargots.

— Comment te sens-tu ?

— Bien.

Il n'allait pas se laisser impressionner par un rêve. Il buvait son café, gagnait la salle à manger, jetait un coup d'œil sur le journal en prenant son petit déjeuner.

On donnait quelques détails de plus que la veille sur la mort d'Armand de Saint-Hilaire et on avait trouvé, de lui, une assez bonne photographie. Il y en avait une de Jaquette aussi, surprise au moment où elle entrait dans une crèmerie. C'était quand, la veille, en fin d'après-midi, elle était allée faire son marché avec Lapointe sur ses talons.

« *Au Quai d'Orsay, on écarte catégoriquement l'hypothèse d'un crime politique. Par contre, dans les milieux bien informés, on rapproche la mort du comte d'un autre décès, tout accidentel, qui s'est produit il y a trois jours.* »

Cela signifiait que, dans une prochaine

édition, l'histoire de Saint-Hilaire et d'Isabelle serait racontée en long et en large.

Maigret continuait à se sentir lourd, sans entrain et c'était à ces moments-là qu'il regrettait de n'avoir pas choisi un autre métier.

Il attendit l'autobus place Voltaire, eut la chance d'en trouver un à plate-forme où il pouvait fumer sa pipe en regardant défiler les rues. Quai des Orfèvres, il salua le planton d'un geste de la main, gravit l'escalier qu'une femme de ménage balayait après y avoir semé quelques gouttes d'eau pour éviter que la poussière s'envole.

Sur son bureau, il trouvait toute une pile de documents, de rapports, de photographies.

Les photos du mort étaient impressionnantes. Certaines le montraient en entier, tel qu'on l'avait découvert, avec un pied du bureau en gros plan, les taches sur le tapis. Il y en avait aussi de la tête, de la poitrine, du ventre, quand il était encore habillé.

D'autres clichés numérotés indiquaient l'orifice d'entrée de chaque balle et un renflement sombre sous la peau, dans le dos, là où un des projectiles, après avoir brisé la clavicule, s'était arrêté.

On frappait à la porte et un Lucas tout frais apparaissait, rasé de près, du talc au bas de l'oreille.

— Dupeu est ici, patron.

— Fais-le entrer.

L'inspecteur Dupeu, tout comme le fils d'Isabelle, avait une famille nombreuse, six ou sept enfants, mais ce n'était pas par ironie que Maigret, la veille, l'avait chargé d'une certaine mission. Il s'était simplement trouvé disponible au moment voulu.

— Alors ?

— Ce que le prince vous a raconté est exact. Je me suis rendu rue de Berry, vers dix heures du soir. Comme d'habitude, elles étaient quatre ou cinq à faire les cent pas. Parmi elles, il n'y avait qu'une petite brune, qui m'a déclaré qu'elle n'était pas là la veille car elle était allée voir son bébé à la campagne.

« J'ai attendu assez longtemps et j'en ai vu une autre qui sortait d'un hôtel en compagnie d'un soldat américain.

« — Pourquoi me demandez-vous ça ? s'est-elle inquiétée quand je lui ai posé ma question. Il est recherché par la police ?

« — Pas du tout. Simple vérification.

« — Un grand, d'une cinquantaine d'années, assez fort ? »

Dupeu continuait :

— J'ai demandé à la fille si elle avait un grain de beauté sous le sein et elle m'a répondu que oui, qu'elle en avait un autre sur la hanche. Bien entendu, l'homme ne lui a pas dit son nom mais, avant-hier soir, elle n'a suivi que celui-là, car il lui a donné trois fois le prix qu'elle demande d'habitude.

« — Pourtant, il n'est pas resté une demi-heure...

« — A quelle heure vous a-t-il accostée ?

« — Onze heures moins dix. Je m'en souviens parce que je sortais du bar d'à côté où j'étais allée boire un café et que j'ai regardé l'horloge derrière le comptoir. »

Maigret remarqua :

— S'il n'a passé qu'une demi-heure avec elle, il l'a donc quittée avant onze heures et demie ?

— C'est ce qu'elle m'a affirmé.

Le fils d'Isabelle n'avait pas menti. Personne, dans cette affaire, ne semblait mentir. Il est vrai qu'en quittant la rue de Berry à onze heures et demie, il avait fort bien pu se trouver rue Saint-Dominique avant minuit.

Pourquoi serait-il allé sonner chez le vieil amoureux de sa mère ? Et surtout pourquoi le tuer ?

Le commissaire n'avait pas plus de chance avec le neveu, Alain Mazeron. La veille, quand, peu avant le dîner, Maigret était passé rue Jacob, il n'avait trouvé personne. Il avait téléphoné ensuite vers huit heures sans obtenir de réponse.

Il avait alors chargé Lucas d'envoyer quelqu'un, de bonne heure le matin, chez l'antiquaire. C'était Bonfils, qui pénétrait à son tour dans le bureau avec des renseignements aussi décevants.

— Il n'a pas été le moins du monde ému par mes questions.

— Sa boutique était ouverte ?

— Non. J'ai dû sonner. Il a regardé par la fenêtre du premier avant de descendre, en bretelles, non rasé. Je lui ai demandé son emploi du temps d'hier après-midi et de la soirée. Il m'a déclaré qu'il était d'abord allé chez le notaire.

— C'est exact.

— Je m'en doute. Il s'est rendu ensuite rue Drouot, où il y avait une vente aux enchères de casques, de boutons d'uniforme et d'armes de l'époque napoléonienne. Il prétend que certains collectionneurs s'arrachent ces reliques. Il en a acheté un lot, m'a montré une fiche rose avec le détail des objets qu'il doit faire retirer ce matin.

— Ensuite ?

— Il est allé dîner dans un restaurant de la rue de Seine où il prend presque toujours ses repas. J'ai vérifié.

Encore un qui n'avait pas menti ! Curieux métier, pensait Maigret que celui où on est déçu que quelqu'un n'ait pas tué ! C'était le cas et le commissaire, malgré lui, en voulait tour à tour à ces gens-là d'être innocents ou de le paraître.

Car, malgré tout, il y avait un cadavre.

Il décrocha son téléphone.

— Voulez-vous descendre, Moers ?

Il ne croyait pas au crime parfait. En vingt-cinq ans de police judiciaire, il n'en avait pas connu un seul. Certes, il se souvenait de quelques crimes restés impunis. Souvent, on connaissait le coupable, qui avait eu le temps de passer à l'étranger. Ou encore c'étaient des empoisonnements ou des crimes crapuleux.

Ce n'était pas le cas ici. Un vaurien quelconque n'aurait pas pénétré dans l'appartement de la rue Saint-Dominique, tiré quatre balles sur un vieillard assis à son bureau pour se retirer sans rien emporter.

— Entrez, Moers. Asseyez-vous.

— Vous avez lu mon rapport ?

— Pas encore.

Maigret n'avouait pas qu'il n'avait pas le courage de le lire, pas plus que les dix-huit pages du médecin légiste. La veille, il avait laissé à Moers et à ses hommes le soin de rechercher les indices matériels et il leur faisait confiance, sachant bien que rien ne leur échapperait.

— Gastine-Renette a-t-il envoyé ses conclusions ?

— Elles sont dans le dossier. Il s'agit d'un pistolet automatique 7,65, soit un browning, soit une des nombreuses imitations que l'on trouve dans le commerce.

— On est sûr qu'aucune douille n'est restée dans l'appartement ?

— Mes hommes ont cherché centimètre par centimètre.

— Pas d'arme non plus ?

— Ni armes, ni munitions, en dehors des fusils de chasse et de leurs cartouches.

— Des empreintes digitales ?

— Celles de la veille, du comte et de la femme du concierge. Je les avais prises à tout hasard avant de quitter la rue Saint-Dominique. Le concierge venait, deux fois par semaine, aider Jaquette Larrieu à faire le grand ménage.

Moers aussi se montrait embarrassé, mécontent.

— J'ai joint l'inventaire des objets trouvés dans les meubles et dans les placards. Je l'ai épluché pourtant une bonne partie de la nuit sans rien découvrir d'anormal ou d'inattendu.

— De l'argent ?

— Quelques milliers de francs dans un portefeuille, de la monnaie dans un tiroir de la cuisine et, dans le bureau, des carnets de chèques de la banque Rothschild.

— Des talons ?

— Des talons de chèques aussi. Le pauvre vieux s'attendait si peu à mourir qu'il s'est commandé un complet il y a dix jours chez un tailleur du boulevard Haussmann.

— Aucune trace sur l'appui de fenêtre ?

— Aucune.

Ils se regardaient et se comprenaient. Ils travaillaient ensemble depuis des années et ils avaient peine à se rappeler un seul cas où, en passant au peigne fin les lieux du crime, comme disent les journaux, ils n'eussent

140

découvert des détails plus ou moins anormaux, en tout cas à première vue.

Ici, tout était trop parfait. Chaque chose trouvait son explication logique sauf, en définitive, la mort du vieillard.

On aurait pu, en essuyant la crosse de l'arme et en la lui mettant dans la main, tenter de faire croire à un suicide. A condition, évidemment, de s'être contenté de la première balle. Mais pourquoi tirer les trois autres ?

Et pourquoi ne retrouvait-on pas l'automatique de l'ancien ambassadeur ? Il en avait possédé un. La vieille Jaquette avouait l'avoir encore vu, quelques mois plus tôt, dans la commode de la chambre à coucher.

L'arme n'était plus dans l'appartement et, d'après la description de la servante, elle avait à peu près la taille et le poids d'un pistolet 7,65.

A supposer que l'ancien ambassadeur ait introduit quelqu'un chez lui... Quelqu'un qu'il connaissait, puisqu'il avait repris place à son bureau, en robe de chambre...

Devant, une bouteille de cognac et un verre... Pourquoi n'avait-il pas offert à boire à son visiteur ?

Comment imaginer la scène ? Ce visiteur marchant vers la chambre à coucher — par le couloir ou en traversant la salle à manger —, s'emparant du pistolet, revenant dans le bureau, s'approchant du comte et tirant un premier coup de feu à bout portant...

— Ça ne colle pas..., soupirait Maigret.

En outre, il fallait un motif, un motif assez impérieux pour que celui qui avait agi ainsi affronte le risque d'une condamnation à mort.

— Je suppose que tu n'as pas soumis Jaquette au test de la paraffine ?

— Je ne l'aurais pas osé sans vous en parler.

Lorsqu'on se sert d'une arme à feu, surtout d'un pistolet à éjection automatique, l'explosion projette à une certaine distance des particules caractéristiques qui s'incrustent dans la peau du tireur, en particulier sur la tranche de la main, et subsistent un certain temps.

Maigret y avait pensé, la veille. Mais avait-il le droit de soupçonner la vieille domestique plus que n'importe qui d'autre ?

Elle était, certes, la mieux placée pour commettre le crime. Elle savait où prendre l'arme, pouvait aller et venir dans l'appartement pendant que son maître travaillait, sans éveiller sa suspicion, s'approcher de lui, tirer, et il était admissible que, devant le corps tassé sur le tapis, elle ait continué à presser la détente.

Elle était assez méticuleuse pour avoir cherché ensuite les douilles dans la pièce.

Pouvait-on admettre, cependant, qu'elle soit allée ensuite se coucher tranquillement, à quelques mètres de sa victime ? Que, le matin, en se rendant au Quai d'Orsay, elle se soit arrêtée quelque part, au bord de la Seine, par exemple, ou sur le pont de la Concorde, pour se débarrasser de l'arme et des douilles ?

Elle avait un mobile, ou un semblant de mobile. Pendant près de cinquante ans, elle avait vécu avec Saint-Hilaire, dans son ombre. Il ne lui cachait rien et, selon toute vraisemblance, ils avaient eu autrefois des rapports intimes.

L'ambassadeur ne paraissait pas y attacher beaucoup d'importance, ni Isabelle, qui en parlait en souriant.

Mais Jaquette ? N'était-elle pas, en définitive, la véritable compagne du vieillard ?

Elle connaissait son amour platonique pour la princesse, postait des lettres quotidiennes et c'était elle encore qui avait introduit une fois Isabelle dans l'appartement en l'absence de son maître.

— Je me demande si...

L'hypothèse répugnait à Maigret, lui semblait trop facile. S'il pouvait la concevoir, il ne la *sentait* pas.

Le prince de V... mort, Isabelle devenue libre, les vieux amoureux avaient enfin le droit de s'unir. Ils n'avaient plus qu'à attendre la fin du deuil pour passer par la mairie et par l'église et ils vivraient ensemble rue Saint-Dominique ou rue de Varenne.

— Ecoutez, Moers... Je vous demande

d'aller là-bas... Soyez gentil avec Jaquette...
Ne lui faites pas peur... Dites-lui que ce n'est
qu'une formalité...

— J'essaie le test ?

— Cela m'enlèvera un souci...

Quand on lui annonça, un peu plus tard,
que M. Cromières était au bout du fil, il fit
répondre qu'il était absent et qu'on ignorait
quand il rentrerait.

Ce matin, on allait ouvrir le testament du
prince de V... Il y aurait là, face au vieux
notaire Aubonnet, Isabelle et son fils, et,
plus tard dans la journée, la princesse se
retrouverait dans la même pièce pour la
lecture d'un autre testament.

Les deux hommes de sa vie, le même
jour...

Il appela la rue Saint-Dominique. Il avait
hésité, la veille, à poser les scellés sur la
porte du bureau et sur celle de la chambre à
coucher. Il avait préféré attendre encore, ou
réserver la possibilité de revoir les lieux.

Lapointe, qu'il avait laissé de garde, avait
dû dormir dans un fauteuil.

— C'est vous, patron ?

— Rien de nouveau ?

— Rien.

— Où est Jaquette ?

— Ce matin, dès six heures, alors que je
surveillais dans le bureau, je l'ai entendue
passer dans le couloir, traînant un aspira-
teur. Je me suis précipité pour lui demander

144

ce qu'elle avait l'intention de faire et elle m'a regardé d'un air étonné.

« — Nettoyer, bien sûr !

« — Nettoyer quoi ?

« — D'abord la chambre, puis la salle à manger, puis... »

Maigret grommela :

— Tu l'as laissée faire ?

— Non. Elle n'a pas paru comprendre pourquoi.

« Qu'est-ce que je vais faire, alors ? a-t-elle questionné. »

— Qu'as-tu répondu ?

— Je l'ai priée de me préparer du café et elle est allée me chercher des croissants.

— Elle n'a pas pu s'arrêter en route pour téléphoner ou pour poster une lettre ?

— Non. J'ai chargé l'agent en faction à la porte de la suivre de loin. Elle n'est vraiment entrée qu'à la boulangerie et n'y est restée qu'un instant.

— Elle est furieuse ?

— On ne peut pas dire. Elle va et vient en remuant les lèvres comme si elle parlait toute seule. Pour le moment, elle est dans la cuisine et j'ignore ce qu'elle fait.

— Il n'y a pas eu d'appels téléphoniques ?

La porte-fenêtre du jardin devait être ouverte car Maigret, dans l'appareil, entendait siffler les merles.

— Moers te rejoindra dans quelques minutes. Il est déjà en chemin. Tu n'es pas fatigué ?

— Je vous avoue que j'ai dormi.

— Je te ferai relayer un peu plus tard.

Une idée lui passa par la tête.

— Ne raccroche pas. Va demander à Jaquette de te montrer ses gants.

Elle était dévote et il aurait juré que, pour la messe du dimanche, elle portait des gants.

— Je reste à l'appareil.

Il attendit, l'écouteur à la main. Ce fut assez long.

— Vous êtes là, patron ?

— Alors ?

— Elle m'en a montré trois paires.

— Elle n'a pas été étonnée ?

— Elle m'a lancé un coup d'œil fielleux avant d'aller ouvrir un tiroir de sa chambre. J'ai aperçu un missel, deux ou trois chapelets, des cartes postales, des médailles, des mouchoirs et des gants. Deux paires sont en fil blanc.

Maigret la voyait bien l'été, avec des gants blancs et, sans doute une touche de blanc à son chapeau.

— Et l'autre paire ?

— En chevreau noir, assez usés.

— A tout à l'heure.

La question de Maigret se rapportait à la mission de Moers. L'assassin de Saint-Hilaire pouvait avoir appris par les journaux et les magazines qu'un tireur garde un certain temps après un coup de feu les mains incrustées de poudre. Si Jaquette

146

s'était servie de l'arme, n'avait-elle pas eu l'idée de mettre des gants ? Dans ce cas, ne s'en serait-elle pas débarrassée ?

Pour en avoir le cœur net, Maigret se plongea dans le dossier toujours étalé devant lui. Il trouva l'inventaire, pièce par pièce, avec le contenu de chaque meuble.

Chambre de domestique... Un lit de fer... Une vieille table en acajou recouverte d'un carré de velours cramoisi à franges...

Son doigt suivait les lignes dactylographiées :

Onze mouchoirs, dont six marqués de l'initiale J... Trois paires de gants...

Elle avait montré les trois paires à Lapointe.

Il sortit, sans prendre son chapeau, se dirigea vers la porte reliant la P.J. au Palais de Justice. Il n'était jamais allé chez le juge d'instruction Urbain de Chézaud, qui était auparavant à Versailles et avec qui il n'avait pas eu l'occasion de travailler. Il dut monter au troisième étage, celui des bureaux les plus vieillots, et il finit par trouver la carte de visite du magistrat sur une porte.

— Entrez, monsieur Maigret. Je suis bien content de vous voir et je me demandais si je n'allais pas vous téléphoner.

Il avait une quarantaine d'années, l'air intelligent. Sur son bureau, Maigret reconnaissait le double du dossier qu'il avait reçu lui-même et il remarqua que certaines pages étaient déjà annotées au crayon rouge.

— Nous n'avons pas beaucoup d'indices matériels, n'est-ce pas ? soupira le juge en invitant le commissaire à s'asseoir. Je viens de recevoir un coup de fil du Quai d'Orsay...

— Le jeune M. Cromières...

— Il prétend qu'il a essayé vainement de vous atteindre et il se demande où les journaux de ce matin ont puisé leurs informations.

Le greffier, derrière Maigret, tapait à la machine. Les fenêtres donnaient sur la cour et on ne devait jamais voir le soleil.

— Vous avez du nouveau ?

Parce que le juge lui était sympathique, Maigret ne cacha pas son découragement.

— Vous avez lu..., soupira-t-il en désignant le dossier. Ce soir ou demain je vous remettrai un premier rapport. Le vol n'est pas le mobile du crime. Il ne semble pas non plus que ce soit une question d'intérêt car ce serait trop évident. Le neveu de la victime est le seul à bénéficier de la mort de Saint-Hilaire. Encore ne fait-il que gagner quelques mois ou quelques années.

— Il a de pressants besoins d'argent ?

— Oui et non. Il est difficile de tirer quelque chose de positif de ces gens-là sans les accuser brutalement. Or, je n'ai aucune base d'accusation. Mazeron vit séparé de sa femme et de ses filles. Il a un caractère renfermé, assez désagréable, et sa femme le représente comme une sorte de sadique.

« A voir sa boutique d'antiquités, on pour-

148

rait penser qu'il n'y entre jamais personne. Il est vrai qu'il se spécialise dans les trophées militaires et qu'il existe un petit nombre d'amateurs enragés pour ce genre d'objets.

« Il lui est arrivé de demander de l'argent à son oncle. Rien ne prouve que celui-ci ne le lui ait pas donné de bonne grâce.

« Craignit-il que, Saint-Hilaire une fois marié, l'héritage lui échappe ? C'est possible. Je ne le pense pas. Ces familles-là ont une mentalité particulière. Chacun se considère comme le dépositaire de biens qu'il a le devoir de transmettre, plus ou moins intacts, à ses descendants directs ou indirects. »

Il surprit un sourire sur les lèvres du magistrat et se rappela que celui-ci s'appelait Urbain de Chézeaud, un nom à particule.

— Continuez.

— J'ai rencontré Mme Mazeron, dans son appartement de Passy, et je cherche en vain pourquoi elle serait allée tuer l'oncle de son mari. J'en dirai autant pour leurs deux filles. L'une d'elles, d'ailleurs, est en Angleterre. L'autre travaille.

Maigret bourrait sa pipe.

— Vous permettez ?

— Je vous en prie. Je fume la pipe, moi aussi.

C'était la première fois qu'il se trouvait en

face d'un juge fumeur de pipe. Il est vrai que celui-ci ajoutait :

— Chez moi, le soir, en étudiant mes dossiers.

— Je suis allé voir la princesse de V...

Il observa son interlocuteur.

— Vous êtes au courant de son histoire, n'est-ce pas ?

Maigret aurait juré qu'Urbain de Chézeaud évoluait dans un milieu où l'on s'intéressait à Isabelle.

— J'en ai entendu parler.

— Est-il exact que sa liaison avec le comte, si l'on peut parler de liaison, est connue de beaucoup de gens ?

— Dans un certain milieu, oui. Ses amis l'appellent Isi.

— C'est ainsi que le comte l'appelle aussi dans ses lettres.

— Vous les avez lues ?

— Pas toutes. Pas en entier. Il y a de quoi remplir plusieurs volumes. Il m'a semblé, mais ce n'est qu'une impression, que la princesse n'était pas aussi atterrée par la mort de Saint-Hilaire qu'on aurait pu s'y attendre.

— A mon avis, rien, dans la vie, n'a jamais pu lui enlever sa sérénité. Il m'est arrivé de la rencontrer. J'ai entendu parler d'elle par des amis. On dirait qu'elle n'a jamais dépassé un certain âge et que le temps, pour elle, s'est arrêté. Les uns prétendent qu'elle en est restée à ses vingt ans, d'autres qu'elle n'a pas changé depuis le couvent.

— Les journaux racontent son histoire. Ils ont commencé à y faire allusion.

— J'ai vu. C'était inévitable.

— Lors de notre entretien, elle ne m'a rien dit qui me fournisse l'ombre d'une piste. Ce matin, elle est chez le notaire, pour la succession de son mari. Elle y retournera l'après-midi pour celle de Saint-Hilaire.

— Elle en hérite ?

— Seulement les meubles et les objets personnels.

— Vous avez vu son fils ?

— Philippe, sa femme et leurs enfants. Ils étaient réunis rue de Varenne. Le fils seul est resté à Paris.

— Qu'en pensez-vous ?

Maigret était bien obligé de répondre :

— Je ne sais pas.

Philippe aussi, à la rigueur, avait une raison de supprimer Saint-Hilaire. Il devenait l'héritier de la lignée historique des V... apparentée à toutes les cours européennes.

Son père s'était accommodé de l'amour platonique d'Isabelle pour l'ambassadeur discret qu'elle ne voyait que de loin et à qui elle envoyait des lettres enfantines.

Lui mort, la situation allait changer. Malgré ses soixante-douze ans et les soixante-dix-huit ans de son amoureux, la princesse allait épouser Saint-Hilaire, perdre son titre, changer de nom.

Cela suffisait-il pour motiver un crime et, Maigret y revenait toujours, pour risquer la peine de mort ? Remplacer, en somme, un scandale assez anodin par un scandale beaucoup plus grave ?

Le commissaire murmurait, gêné :

— J'ai contrôlé ses faits et gestes mardi soir. Il est descendu avec sa famille dans un hôtel de la place Vendôme, selon son habitude. Les enfants au lit, il est sorti seul et il a remonté à pied les Champs-Elysées. Au coin de la rue de Berry, il a choisi parmi les cinq ou six filles disponibles et en a suivi une chez elle.

Maigret avait vu souvent des assassins, *après* leur crime, courir à la recherche d'une femme, n'importe laquelle, comme s'ils éprouvaient un besoin de détente.

Il ne se souvenait pas d'un seul agissant de même *avant*. Pour se procurer un alibi ?

Dans ce cas, l'alibi n'était pas complet, puisque Philippe de V... avait quitté la fille vers onze heures et demie, ce qui lui donnait le temps de se rendre rue Saint-Dominique.

— Voilà où j'en suis. Je vais continuer à chercher, sans trop compter la trouver, une autre piste, peut-être un autre familier de l'ancien ambassadeur dont on ne nous a pas encore parlé. Saint-Hilaire avait des habitudes régulières, comme la plupart des vieillards. Presque tous ses amis sont morts...

La sonnerie du téléphone retentit. Le greffier se leva pour répondre.

— Oui... Il est ici... Vous voulez que je vous le passe ?

Et, tourné vers le commissaire :

— C'est pour vous... Il paraît que c'est très urgent...

— Vous permettez ?

— Je vous en prie.

— Allô !... Maigret, oui... Qui est à l'appareil ?

Il ne reconnaissait pas la voix parce que Moers, qui se nommait enfin, était surexcité.

— J'ai essayé de vous atteindre à votre bureau. On m'a dit que...

— Au fait.

— J'y viens. C'est tellement extraordinaire ! Je viens de finir le test...

— Je sais. Alors ?

— Il est positif.

— Tu es sûr ?

— Absolument certain. Il n'y a pas de doute que Jaquette Larrieu a tiré un ou des coups de feu dans les dernières quarante-huit heures.

— Elle s'est laissé faire ?

— Sans difficulté.

— Quelle explication fournit-elle ?

— Aucune. Je ne lui ai rien dit. J'ai dû rentrer au laboratoire pour terminer le test.

— Lapointe est toujours avec elle ?

— Il y était quand j'ai quitté la rue Saint-Dominique.

— Tu es certain de ce que tu avances ?

— Certain.

— Merci.

Il raccrochait, le visage grave, un pli au milieu du front, sous le regard interrogateur du juge d'instruction.

— Je me suis trompé, murmurait Maigret à regret.

— Que voulez-vous dire ?

— A tout hasard, sans y croire, je l'avoue, j'ai chargé le laboratoire d'essayer le test de la paraffine sur la main droite de Jaquette.

— Il est positif ? C'est ce que j'ai cru comprendre, mais j'avais de la peine à y croire.

— Moi aussi.

Il aurait dû se sentir délivré d'un grand poids. Ainsi, après vingt-quatre heures d'enquête à peine, le problème qui lui paraissait insoluble un instant plus tôt se trouvait résolu.

Or, il n'en ressentait aucune satisfaction.

— Tant que je suis ici, signez-moi donc un mandat d'amener, soupira-t-il.

— Vous allez envoyer vos hommes l'arrêter ?

— J'irai moi-même.

Et, les épaules rondes, Maigret ralluma sa pipe éteinte, cependant que le magistrat remplissait en silence les blancs d'une formule imprimée.

CHAPITRE VII

Maigret passa par son bureau pour y prendre son chapeau. Au moment où il en sortait, il eut tout à coup une inquiétude et, se reprochant de ne pas y avoir pensé plus tôt, il se précipita sur le téléphone.

Pour gagner du temps, il forma le numéro de la rue Saint-Dominique sans passer par le standard. Il était anxieux d'entendre la voix de Lapointe, de s'assurer que rien ne venait de se passer là-bas. Au lieu de la sonnerie, il entendit le ronflement saccadé annonçant que la ligne était occupée.

Il ne réfléchit pas et, pendant quelques secondes, perdit son sang-froid.

A qui Lapointe avait-il des raisons de téléphoner ? Mœrs l'avait quitté peu de temps auparavant. Lapointe savait qu'il prendrait immédiatement contact avec le commissaire pour lui faire son rapport.

155

Si l'inspecteur laissé dans l'appartement de Saint-Hilaire était occupé à téléphoner, c'est qu'un événement inattendu s'était produit et qu'il appelait la P.J. ou peut-être un médecin.

Maigret essayait une fois encore, ouvrait la porte du bureau voisin et apercevait Janvier qui allumait une cigarette.

— Descends m'attendre dans la cour au volant d'une voiture.

Il faisait une dernière tentative pour entendre encore le même vrombissement qui lui répondait.

On l'aperçut un peu plus tard qui descendait l'escalier en courant et se précipitait dans la petite auto noire dont il claqua la portière.

— Rue Saint-Dominique. A toute vitesse. Fais marcher la sirène.

Janvier, qui n'était pas au courant des derniers développements de l'affaire, lui jetait un coup d'œil surpris car le commissaire usait rarement de cette sirène qu'il avait en horreur.

L'auto fonçait vers le Pont Saint-Michel, tournait à droite sur les quais tandis que les voitures se rangeaient et que les passants s'arrêtaient pour la suivre des yeux.

La réaction de Maigret était peut-être ridicule mais il ne pouvait chasser l'image d'une Jaquette morte, de Lapointe, près d'elle, suspendu au téléphone. Cela devenait si réel dans son esprit qu'il en était à chercher par quel moyen elle s'était donné la mort. Elle n'avait pu se jeter par la fenêtre, puisque l'appartement était au rez-de-chaussée. Il n'y avait pas d'arme à sa disposition, sinon les couteaux de cuisine...

L'auto s'arrêtait. Le sergent de ville, à son poste près de la porte cochère, en plein soleil, était surpris par la sirène. La fenêtre de la chambre à coucher était entrouverte.

Maigret fonçait vers la voûte, gravissait les marches de pierre, pressait le timbre électrique, se trouvait tout de suite en face d'un Lapointe à la fois calme et éberlué.

— Qu'arrive-t-il, patron ?

— Où est-elle ?

— Dans sa chambre.

— Il y a longtemps que tu ne l'as entendue aller et venir ?

— Encore à l'instant.

— A qui téléphonais-tu ?

— J'essayais de vous avoir au bout du fil.

— Pourquoi ?

— Elle est en train de s'habiller comme pour sortir et je voulais vous demander des instructions.

Maigret se sentait ridicule en face du jeune Lapointe et de Janvier qui les avait rejoints. Par contraste avec l'inquiétude des dernières minutes, l'appartement était plus calme que jamais ; il retrouvait le bureau ensoleillé, la porte ouverte sur le jardin, le tilleul bruissant d'oiseaux.

Il entra dans la cuisine, où tout était en ordre, entendit des sons légers dans la chambre de la vieille domestique.

— Je peux vous voir, mademoiselle Larrieu ?

Il l'avait appelée une fois madame et elle avait protesté en disant :

« — Mademoiselle, si vous voulez bien ! »

— Qui est là ?

Le commissaire Maigret.

— Je viens tout de suite.

Lapointe continuait à voix basse :

— Elle a pris un bain dans la salle de bains de son patron.

Maigret avait rarement été aussi mécontent de lui-même et il se rappelait son rêve, les vieillards qui le regardaient avec condescendance en hochant la tête parce qu'il portait des culottes courtes et qu'il n'était qu'un gamin à leurs yeux.

La porte de la petite chambre s'ouvrait, une bouffée de parfum lui arrivait, d'un parfum démodé depuis longtemps qu'il reconnaissait car, sa mère l'employait, le dimanche, pour se rendre à la grand-messe.

C'était bien comme pour une grand-messe que la vieille Jaquette s'était habillée. Elle portait une robe de soie noire, une guimpe noire qui lui enserrait le cou, un chapeau noir orné de faille blanche et des gants immaculés. Il ne lui manquait que de tenir son missel à la main.

158

— Je suis obligé, murmura-t-il, de vous emmener au Quai des Orfèvres.

Il était prêt à exhiber le mandat d'amener signé par le juge mais, contre son attente, elle ne montrait ni surprise, ni indignation. Sans un mot, elle traversait la cuisine où elle s'assurait que le gaz était fermé, pénétrait dans le bureau pour fermer la porte, tirer les battants de la fenêtre.

Elle ne posa qu'une question.

— Quelqu'un va-t-il rester ici ?

Et, comme on ne lui répondait pas tout de suite, elle ajouta :

— Sinon, il faudrait fermer la fenêtre de la chambre.

Non seulement, se sachant découverte, elle n'avait pas eu l'intention de se suicider, mais elle n'avait jamais été aussi digne, aussi maîtresse d'elle-même. C'était elle qui sortait la première. Maigret disait à Lapointe :

— Il vaut mieux que tu restes.

Elle marchait devant, adressait un léger signe de tête au concierge qui la regardait par la porte vitrée.

N'aurait-il pas été ridicule, odieux, de passer les menottes à cette femme de près de soixante-quinze ans ? Maigret l'invitait à entrer dans la voiture, s'asseyait à son côté.

— Tu n'as plus besoin de sirène.

Le temps était toujours radieux et on dépassa un gros autocar rouge et blanc bourré d'étrangers. Maigret ne trouvait rien à dire, aucune question à poser.

Des centaines de fois, il était ainsi rentré au Quai des Orfèvres en compagnie d'un suspect, homme ou femme, qu'il allait devoir pousser dans ses derniers retranchements. Sa tâche était plus ou moins difficile, plus ou moins pénible selon les cas. Cela pouvait durer des heures et, certaines fois, l'interrogatoire n'avait pris fin qu'au lever du jour, quand le petit peuple de Paris commençait à se rendre au travail.

Pour Maigret, cette phase d'une enquête était toujours déplaisante.

Pour la première fois, il allait pratiquer l'opération sur une vieille femme.

Dans la cour de la P.J., il l'aidait à descendre de voiture et elle repoussait sa main tendue, s'avançait avec dignité vers l'escalier comme sur le parvis d'une église. Il avait fait signe à Janvier de les accompagner. Ils gravissaient tous trois le grand escalier, atteignaient le bureau du commissaire où la brise gonflait les rideaux.

— Asseyez-vous, je vous en prie.

Bien qu'il lui eût désigné un fauteuil, elle choisissait une chaise, cependant que Janvier, qui connaissait la routine, s'installait à un bout du bureau, saisissait un bloc de papier et un crayon.

Maigret toussotait, bourrait une pipe, marchait jusqu'à la fenêtre, en revenait pour se camper devant la vieille femme qui

160

le regardait de ses petits yeux immobiles et vifs.

— Je dois vous annoncer avant tout que le juge d'instruction vient de signer un mandat d'amener contre vous.

Il le lui montrait. Elle n'accordait au document qu'une attention polie.

— Vous êtes accusée d'avoir donné volontairement la mort à votre patron, le comte Armand de Saint-Hilaire, pendant la nuit de mardi à mercredi. Un technicien de l'Identité Judiciaire a procédé tout à l'heure, sur votre main droite, au test de la paraffine. Ce test consiste à recueillir les parcelles de poudre et de matières chimiques qui s'incrustent dans la peau d'une personne lorsqu'elle se sert d'une arme à feu, en particulier d'un pistolet automatique à éjection.

Il l'observait, espérant une réaction, et c'était elle qui avait l'air de l'étudier, c'était elle la plus calme, la plus maîtresse d'elle-même.

— Vous ne dites rien ?

— Je n'ai rien à dire.

— Le test a été positif, ce qui établit, sans erreur possible, que vous vous êtes servie récemment d'une arme à feu.

Impassible, elle aurait pu tout aussi bien se trouver à l'église en train d'écouter le sermon.

— Qu'avez-vous fait de cette arme ? Je suppose que, mercredi matin, en vous rendant au Quai d'Orsay, vous l'avez lancée dans la Seine avec les douilles ? Je vous préviens que le nécessaire sera fait pour récupérer le pistolet, que des scaphandriers descendront dans le fleuve.

Elle avait décidé de se taire et elle se taisait. Quant à son regard, il gardait une telle sérénité qu'on aurait pu croire qu'il ne s'agissait pas d'elle, qu'elle était là par hasard, assistant à une conversation qui ne la concernait pas.

— J'ignore à quel mobile vous avez obéi, encore que je le soupçonne. Vous avez vécu près de cinquante ans avec le comte de Saint-Hilaire. Vous étiez aussi intime avec lui que deux êtres peuvent l'être.

Un très léger sourire flotta sur les lèvres de Jaquette, un sourire où il y avait à la fois de la coquetterie et une satisfaction intime.

— Vous saviez qu'après la mort du prince, votre patron réaliserait son rêve de jeunesse.

C'était agaçant de parler à vide et, par moments, Maigret se retenait pour ne pas secouer les épaules de la vieille femme.

— S'il n'était pas mort, il se serait marié, c'est bien votre avis ? Auriez-vous conservé votre place dans la maison ? Et, si oui, cette place aurait-elle été tout à fait la même ?

Le crayon en l'air, Janvier attendait toujours d'avoir à enregistrer une réponse.

— Mardi soir, vous avez pénétré dans le bureau de votre patron. Il revoyait les épreuves de son livre. Avez-vous eu une discussion avec lui ?

Dix minutes encore de questions sans réponse et Maigret, exaspéré, éprouvait le besoin d'aller se détendre dans le bureau des inspecteurs. Cela lui rappela que Lapointe était depuis la veille au soir rue Saint-Dominique.

— Tu es occupé, Lucas ?

— Rien d'urgent.

— Va donc relayer Lapointe.

Puis, comme il était passé midi, il ajouta :

— Passe par la *Brasserie Dauphine*. Faisnous monter un plateau de sandwiches, de la bière et du café.

Et, pensant à la vieille femme :

— Une bouteille d'eau minérale aussi.

Dans son bureau, il retrouva Jaquette et Janvier immobiles à leur place comme dans un tableau.

Une demi-heure durant, il arpenta la pièce, fumant à courtes bouffées, s'arrêtant devant la fenêtre, se plantant à deux pas de la domestique pour la regarder en face.

Ce n'était pas un interrogatoire, car elle restait obstinément muette, mais un long monologue plus ou moins décousu.

— Il est possible, je vous le dis tout de suite, que les experts vous reconnaissent une responsabilité atténuée. Votre avocat plaidera certainement le crime passionnel...

Cela paraissait ridicule, mais c'était vrai.

— Vous n'avez aucun intérêt à vous taire,

163

alors qu'en plaidant coupable vous avez toutes les chances d'émouvoir les jurés. Pourquoi ne pas commencer à présent ?

Les enfants jouent à un jeu de ce genre : il s'agit de ne pas ouvrir la bouche, quoi que dise et que fasse le partenaire, et surtout de ne pas rire.

Jaquette ne parlait ni ne riait. Elle suivait Maigret des yeux dans toutes ses allées et venues, toujours comme si cela ne la concernait pas, sans un tressaillement, sans une révolte.

— Le comte a été le seul homme dans votre vie.

A quoi bon ? En vain, il cherchait le point sensible. On frappait à la porte. C'était le garçon de la *Brasserie Dauphine*, qui posait le plateau sur le bureau du commissaire.

— Vous feriez bien de manger un morceau. Au train où nous allons, nous en avons sans doute pour longtemps.

Il lui tendait un sandwich au jambon. Le garçon était parti. Elle soulevait un coin du pain mie et, miracle, ouvrait enfin la bouche.

— Voilà plus de quinze ans que je ne mange pas de viande. Les vieillards n'en ont pas besoin.

— Vous préférez le fromage ?

— De toute façon, je n'ai pas faim.

Il passa une fois encore chez les inspecteurs.

164

— Que quelqu'un téléphone à la brasserie d'apporter des sandwiches au fromage.

Il mangeait, lui, tout en marchant, comme pour se venger, sa pipe d'une main, le sandwich de l'autre, et de temps en temps il s'arrêtait pour avaler une gorgée de bière. Janvier avait abandonné son crayon inutile pour manger aussi.

— Préféreriez-vous me parler en tête à tête ?

Il n'obtenait qu'un haussement d'épaules.

— Vous avez le droit d'être assistée, dès maintenant, d'un avocat de votre choix. Je suis prêt à appeler immédiatement celui que vous me désignerez. Connaissez-vous un avocat ?

— Non.

— Voulez-vous que je vous en donne la liste ?

— C'est inutile.

— Vous préférez qu'on vous en désigne un d'office ?

— Cela ne servira à rien.

Il y avait progrès, puisqu'elle desserrait les lèvres.

— Vous avouez que vous avez tiré sur votre patron ?

— Je n'ai rien à dire.

— En d'autres termes, vous avez juré de vous taire, quoi qu'il arrive ?

A nouveau le silence exaspérant. De la fumée de pipe flottait dans le bureau où le soleil pénétrait de biais. L'air commençait à sentir le jambon, la bière, le café.

— Vous désirez une tasse de café ?

— Je ne bois de café que le matin, avec beaucoup de lait.

— Qu'avez-vous envie de boire ?

— Rien.

— Votre intention est de faire la grève de la faim ?

Il avait eu tort de dire ça, car elle retenait un sourire à cette idée qui allait peut-être la séduire.

Il avait vu des suspects de toutes les sortes, ici, dans des circonstances similaires, des durs et des mous, certains qui pleuraient ou qui devenaient de plus en plus pâles, d'autres qui le défiaient ou se moquaient de lui.

C'était la première fois que quelqu'un, sur cette chaise, affichait autant d'indifférence et de tranquille obstination.

— Vous ne voulez toujours rien dire ?

— Pas maintenant.

— Quand comptez-vous parler ?

— Je ne sais pas.

— Vous attendez quelque chose ?

Silence.

— Voulez-vous que j'appelle la princesse de V... ?

Elle faisait non de la tête.

— Y a-t-il quelqu'un à qui vous désirez adresser un message, ou quelqu'un que vous souhaitez voir ?

On apportait les sandwiches au fromage qu'elle regardait avec indifférence. Elle hochait la tête, répétait :

— Pas maintenant.

— Vous êtes donc décidée à ne pas parler, à ne pas boire, à ne pas manger.

Sa chaise était inconfortable, et presque tous ceux qui s'y étaient assis n'avaient pas tardé à s'y sentir mal à l'aise. Après une heure, elle s'y tenait encore aussi droite, sans remuer les pieds ni les bras, sans avoir changé de position.

— Ecoutez, Jaquette...

Elle fronçait les sourcils, choquée par cette familiarité, et c'était le commissaire qui se montrait gêné.

— Je vous préviens que nous resterons dans cette pièce aussi longtemps qu'il le faudra. Nous possédons la preuve matérielle que vous avez tiré un ou des coups de feu. Je vous demande simplement de me dire pourquoi et dans quelles circonstances. Par votre silence stupide...

Le mot lui avait échappé et il se reprit :

— Par votre silence, vous risquez d'égarer la police, de faire peser certains soupçons sur d'autres personnes. Si, d'ici une demi-heure, vous n'avez pas répondu à mes questions, je demanderai à la princesse de venir et je la mettrai en votre présence. Je convoquerai son fils aussi, Alain Mazeron, sa femme, et on verra bien si cette confrontation générale...

Il cria, fâché :

— Qu'est-ce que c'est ?

On frappait à la porte. Le vieux Joseph
l'attirait dans le couloir et chuchotait, la
tête penchée :

— Il y a un jeune homme qui insiste...

— Quel jeune homme ?

Joseph lui tendait une carte de visite au
nom de Julien de V..., le petit-fils d'Isabelle.

— Où est-il ?

— Dans la salle d'attente. Il prétend qu'il
est pressé parce qu'il a un cours important
qu'il ne peut pas manquer.

— Fais-le attendre un moment.

Il rentrait dans le bureau.

— Le petit-fils d'Isabelle, Julien,
demande à me voir. Il a quelque chose à me
dire. Vous continuez à vous taire ?

C'était exaspérant, sans doute, mais ce
n'en était pas moins pathétique. Maigret
croyait sentir qu'un combat se livrait à
présent chez la vieille femme qu'il avait
scrupule à bousculer. Janvier lui-même, qui
n'était que spectateur, n'affichait pas une
bonne conscience.

— Il faudra bien, à un moment donné,
que vous parliez. Pourquoi, dans ce cas...

— J'ai le droit de voir un prêtre ?

— Vous désirez vous confesser ?

— Je demande seulement la permission
de m'entretenir avec un prêtre pendant
quelques minutes, l'abbé Barraud.

— Où puis-je atteindre l'abbé Barraud ?

— Au presbytère de Sainte-Clotilde.

— C'est votre directeur de conscience ?

Il ne voulait pas laisser échapper la moindre chance et décrochait le téléphone.

— Passez-moi le presbytère de la paroisse Sainte-Clotilde... Oui... Je reste à l'appareil... L'abbé Barraud... Peu importe comment cela s'écrit...

Il déplaçait les pipes sur son bureau, les rangeait en file indienne comme des soldats de plomb.

— Allô... L'abbé Barraud ?... Ici la Police Judiciaire... Maigret, commissaire divisionnaire... J'ai dans dans mon bureau une de vos paroissiennes qui désire avoir un entretien avec vous... Oui... Il s'agit de Mlle Larrieu... Pouvez-vous prendre un taxi et vous présenter au Quai des Orfèvres ?... Je vous remercie... Oui... Elle vous attend...

Et, à Janvier :

— Quand le prêtre arrivera, fais-le entrer ici et laisse-les en tête à tête... J'ai quelqu'un à voir pendant ce temps...

Il se dirigea vers la salle d'attente vitrée où il n'y avait que le jeune homme en noir aperçu la veille rue de Varenne en compagnie de ses parents et de ses frères et sœurs. A la vue de Maigret, il se leva, suivit le commissaire dans un petit bureau disponible.

— Asseyez-vous.

— Je n'en ai pas pour longtemps. Je dois

retourner rue d'Ulm, où j'ai un cours dans une demi-heure.

Dans le bureau exigu, il paraissait plus grand et plus long. L'expression de son visage était grave, un peu triste.

— Hier, déjà, quand vous êtes venu chez ma grand-mère, j'ai failli vous parler.

Pourquoi Maigret pensa-t-il qu'il aurait aimé avoir un fils comme ce garçon? Il y avait chez lui une aisance naturelle en même temps qu'une sorte de modestie innée et, s'il se tenait un peu replié sur lui-même, on devinait que c'était par délicatesse.

— Je ne sais pas si ce que je vais vous dire vous servira. J'y ai beaucoup réfléchi la nuit dernière. Mardi après-midi, je suis allé voir mon oncle.

— Votre oncle?

Le jeune homme rougissait, une rougeur légère qui disparaissait tout de suite et qu'il remplaçait par un sourire timide.

— C'est ainsi que j'appelais le comte de Saint-Hilaire.

— Vous le fréquentiez?

— Oui. Je n'en parlais pas à mes parents. Je ne me cachais pas non plus. Tout petit, déjà, j'avais entendu parler de lui.

— Par qui?

— Par mes gouvernantes, puis, plus tard, par mes condisciples. L'histoire d'amour de ma grand-mère est presque légendaire.

— Je sais.

— Vers l'âge de dix ou onze ans, je l'ai

170

questionnée et nous avons pris l'habitude de parler tous les deux de Saint-Hilaire. Elle me lisait certaines lettres, celles, par exemple, où il racontait des réceptions diplomatiques, ou des conversations avec des chefs d'Etat. Vous avez lu ses lettres ?

— Non.

— Il écrivait fort bien, avec vivacité, un peu comme le cardinal de Retz. Peut-être est-ce à cause du comte et de ses récits que j'ai choisi la carrière diplomatique.

— A quelle époque l'avez-vous connu personnellement ?

— Il y a deux ans. J'avais un camarade, à Stanislas, dont le grand-père avait appartenu, lui aussi, à la Carrière. Un jour, chez lui, j'ai rencontré le comte de Saint-Hilaire et j'ai demandé à lui être présenté. J'ai cru sentir son émotion, tandis qu'il m'examinait des pieds à la tête, et j'étais assez ému, moi aussi. Il m'a posé des questions sur mes études, mes projets.

— Vous êtes allé le voir rue Saint-Dominique ?

— Il m'y avait invité, en ajoutant toutefois :

« — Pour autant que vos parents n'y voient pas d'inconvénient. »

— Ces rencontres étaient fréquentes ?

— Non. Environ une fois par mois. Cela dépendait. Par exemple, je lui ai demandé conseil après mon bac et il m'a encouragé dans mon intention de passer par Normale.

Il jugeait, lui aussi, que, si même cela ne m'aidait pas dans ma carrière, cela ne m'en donnerait pas moins une base solide.

« Un jour, j'ai prononcé sans réfléchir :

« — J'ai un peu l'impression de me confier à un oncle.

« — Et moi à un neveu, a-t-il répondu en riant. Pourquoi ne m'appelleriez-vous pas " mon oncle ? "... »

« Cela vous explique que le mot m'ait échappé tout à l'heure. »

— Vous n'aimiez pas votre grand-père ?

— Je le connaissais peu. Ils avaient beau appartenir à la même génération, le comte de Saint-Hilaire et lui, c'étaient deux hommes très différents. Mon grand-père, pour moi, restait un personnage impressionnant, inaccessible.

— Et votre grand-mère ?

— Nous étions de grands amis. Nous le sommes restés.

— Elle était au courant de vos visites rue Saint-Dominique ?

— Oui. Je lui rapportais nos conversations. Elle me réclamait des détails et, parfois, c'était elle qui me rappelait que je n'étais pas allé voir notre ami depuis longtemps.

Maigret, tout attiré qu'il fût par le jeune homme, ne l'en étudiait pas moins avec stupéfaction, presque avec méfiance. On n'a pas l'habitude, Quai des Orfèvres, de rencontrer des jeunes gens de cette espèce et il avait à nouveau la sensation d'un univers irréel, de gens qui sortaient, non pas de la vie, mais d'un livre édifiant.

— Donc, mardi après-midi, vous êtes allé rue Saint-Dominique.

— Oui.

— Vous aviez une raison particulière de faire cette visite ?

— Plus ou moins. Mon grand-père était mort depuis deux jours. J'ai pensé que ma grand-mère aimerait savoir comment son ami réagissait.

— Vous n'aviez pas la même curiosité ?

— Peut-être que si. Je savais qu'ils avaient juré de s'épouser s'ils en avaient un jour la possibilité.

— Cette perspective vous séduisait ?

— Assez, oui.

— Et vos parents ?

— Je n'en ai jamais parlé à mon père, mais j'ai tout lieu de croire que cela ne lui déplaisait pas. A maman, peut-être... ?

Comme il n'achevait pas sa phrase, Maigret insistait :

— Votre mère... ?

— Ce n'est pas être méchant à son égard que de dire qu'elle attache plus d'importance aux titres et aux préséances que le reste de la famille.

Sans doute parce qu'elle n'était pas née princesse mais simplement Irène de Marchangy.

173

— Que s'est-il passé au cours de cet entretien rue Saint-Dominique ?

— Rien que je puisse expliquer clairement. J'ai cru, néanmoins, qu'il valait mieux que je vous en parle. Le comte de Saint-Hilaire, dès l'abord, m'a paru soucieux et j'ai eu soudain la révélation qu'il était très vieux. Avant, c'était un homme qui ne paraissait pas son âge. On sentait qu'il aimait la vie, qu'il en savourait en connaisseur tous les aspects, tous les instants. A mes yeux, c'était un personnage du XVIIIe siècle égaré dans le nôtre. Vous comprenez ?

Maigret fit signe que oui.

— Je ne m'attendais pas à le trouver fort affecté par la mort de mon grand-père, qui était de deux ans son aîné, surtout que cette mort était accidentelle et, en définitive, n'avait guère été pénible. Or, mardi après-midi, Saint-Hilaire, mal en train, évitait mon regard comme s'il me cachait quelque chose.

« J'ai prononcé une phrase comme :

« — Dans un an, vous épouserez enfin ma grand-mère... »

« Comme il détournait la tête, j'ai insisté :

« — Cela vous impressionne ? »

« J'aimerais retrouver ses mots exacts. C'est curieux que je ne m'en souvienne pas, alors que leur sens et tout ce qu'ils impliquaient m'ont tellement frappé.

« Il a répondu en substance :

« — On ne me laissera pas faire. »

« Et, quand j'ai regardé son visage, j'ai cru y lire de la peur.

« Vous voyez que c'est assez vague. Sur le moment, je n'y ai pas attaché trop d'importance, pensant que c'était la réaction naturelle d'un vieillard apprenant la mort d'un autre vieillard et se disant que son tour ne tardera pas.

« Lorsque j'ai appris qu'il avait été assassiné, cette scène m'est revenue en mémoire. »

— Vous en avez parlé à quelqu'un ?

— Non.

— Pas même à votre grand-mère ?

— Je n'ai pas voulu la troubler. Je jurerais, avec le recul, que le comte se sentait menacé. Ce n'était pas l'homme à se faire des idées gratuites. Malgré son âge, il restait d'une lucidité exceptionnelle et sa philosophie le mettait à l'abri des frayeurs inconsidérées.

— Si je comprends bien, vous pensez qu'il prévoyait ce qui lui est arrivé.

— Il prévoyait un malheur, oui. J'ai préféré venir vous en parler car, depuis hier, cela me tracasse.

— Il ne vous a jamais entretenu de ses amis ?

— De ses amis morts. Il n'avait plus d'amis vivants, mais cela ne l'affectait pas outre mesure.

« — A tout prendre, disait-il, il n'est pas désagréable d'être celui qui reste le dernier. »

« Il ajoutait avec mélancolie :

« — Cela fait toujours une mémoire dans laquelle les autres continuent à vivre. »

— Il ne vous a pas parlé de ses ennemis ?

— Je suis persuadé qu'il n'en a jamais eu. Des jaloux, peut-être, au début de sa carrière, qui a été rapide et brillante. Ceux-là aussi sont au cimetière.

— Je vous remercie. Vous avez bien fait de venir.

— Vous ne savez toujours rien ?

Maigret hésita, faillit parler de Jaquette qui, au même instant, devait être enfermée dans son bureau avec l'abbé Barraud.

On disait parfois, dans la maison, du bureau du commissaire : le confessionnal, c'était pourtant la première fois qu'il en tenait vraiment lieu.

— Rien de précis, non.

— Il faut que je retourne rue d'Ulm.

Maigret le reconduisait jusqu'en haut de l'escalier.

— Merci encore.

Il arpentait un moment le vaste couloir, les mains derrière le dos, rallumait sa pipe, entrait chez les inspecteurs. Janvier était là, avec l'air d'attendre.

— L'abbé est à côté ?

— Depuis un bon moment.

— Comment est-il ?

Et Janvier de répondre avec une ironie un peu amère :

— C'est l'aîné de tous !

CHAPITRE VIII

— APPELLE Lucas.

— Rue Saint-Dominique?

— Oui. Je l'ai envoyé délivrer Lapointe.

Il commençait à s'impatienter. L'entretien continuait à voix basse dans le bureau voisin et, quand on approchait de la porte, on n'entendait qu'un chuchotement, comme à proximité d'un véritable confessionnal.

— Lucas?... Tout est calme, là-bas?... Rien que des coups de téléphone de journalistes?... Continue à répondre qu'il n'y a rien de neuf... Comment?... Non! Elle n'a pas parlé... Elle est dans mon bureau, oui, mais pas avec moi, ni avec personne de la maison... Avec un prêtre...

L'instant d'après, c'était le juge d'instruction qui l'appelait au bout du fil et Maigret répétait à peu près les mêmes mots.

— Je ne la bouscule pas, non, soyez tranquille. Tout au contraire...

Il ne se souvenait pas s'être montré aussi doux, aussi patient de sa vie. L'article anglais que Pardon lui avait lu lui revenait une fois de plus en mémoire et lui arrachait un sourire ironique.

Le collaborateur du *Lancet* s'était trompé. Ce n'était ni un instituteur, en fin de compte, ni un romancier, ni enfin un policier, qui allait résoudre le problème de Jaquette, mais un abbé octogénaire.

— Depuis combien de temps sont-ils là-dedans ?

— Vingt-cinq minutes.

Il n'avait pas la consolation de boire un verre de bière, car le plateau était resté à côté. Tout à l'heure, la bière serait tiède. Elle l'était déjà. Il était tenté de descendre à la *Brasserie Dauphine*, hésitait à s'éloigner en ce moment.

Il sentait la solution proche, cherchait à la deviner, moins en tant que commissaire de la P. J. chargé de découvrir un criminel et de l'amener aux aveux qu'en tant qu'homme.

Car c'était en homme qu'il avait mené cette enquête, comme une affaire personnelle, à telle enseigne qu'il y avait mêlé malgré lui des souvenirs d'enfance.

N'était-il pas un peu mis en cause ? Si Saint-Hilaire avait été ambassadeur pendant des dizaines d'années, si son amour platonique et celui d'Isabelle dataient de près de cinquante ans, il avait, lui, Maigret, vingt-cinq ans de carrière à la P. J. et, la veille encore, il était persuadé qu'il avait vu défiler toutes les catégories possibles d'individus.

Il ne se prenait pas pour un surhomme, ne se croyait pas infaillible. C'était avec une certaine humilité, au contraire, qu'il commençait ses enquêtes, y compris les plus simples.

Il se méfiait de l'évidence, des jugements hâtifs. Patiemment, il s'efforçait de comprendre, n'ignorant pas que les mobiles les plus apparents ne sont pas toujours les plus profonds.

S'il n'avait pas une haute idée des hommes et de leurs possibilités, il continuait à croire en l'homme.

Il cherchait ses points faibles. Et quand il mettait enfin le doigt dessus, il ne criait pas victoire mais, au contraire, ressentait un certain accablement.

Depuis la veille, il avait perdu pied, car il s'était trouvé, sans préparation, en face de gens dont il ne soupçonnait pas l'existence. Toutes leurs attitudes, leurs propos, leurs réactions lui étaient étrangers et il s'efforçait en vain de les classer dans une catégorie.

Il avait envie de les aimer, même cette Jaquette, qui le poussait pourtant à bout.

Il découvrait, dans leur vie, une grâce, une

harmonie, une certaine candeur aussi qui le séduisaient.

Soudain, il se disait froidement :

« Saint-Hilaire n'en a pas moins été tué. »

Par l'un d'eux, c'était à peu près certain. Par Jaquette, si les tests scientifiques avaient encore un sens.

Pendant quelques instants, il les prenait en grippe, y compris le mort, y compris ce jeune homme devant qui il venait de ressentir plus fort que jamais la nostalgie de la paternité.

Pourquoi ces gens-là n'auraient-ils pas été comme les autres ? Pourquoi n'auraient-ils pas connu les mêmes intérêts sordides et les mêmes passions ?

Cette trop innocente histoire d'amour l'exaspérait tout à coup. Il cessait d'y croire, cherchait autre chose, une explication différente, plus conforme à son expérience.

Deux femmes qui aiment le même homme depuis tant d'années n'en arrivent-elles pas forcément à se haïr ?

Une famille alliée à la plupart des maisons régnantes d'Europe ne réagit-elle pas à la menace d'un mariage aussi ridicule que l'union envisagée par les deux vieillards ?

Aucun d'entre eux n'accusait. Aucun n'avait d'ennemis. Tous vivaient dans une apparente harmonie, sauf Alain Mazeron et sa femme qui avaient fini par se séparer.

Irrité par ce chuchotement qui n'en finissait pas, Maigret faillit ouvrir brutalement la porte et ce qui l'arrêtait fut peut-être le regard de reproche que Janvier lui lançait.

Lui aussi était séduit !

— J'espère que tu fais surveiller le couloir ?

Il en arrivait au point d'admettre la possibilité du vieux prêtre disparaissant avec sa pénitente.

Pourtant, il sentait qu'il touchait du doigt cette vérité qui lui échappait. C'était tout simple, il le savait. Les drames humains sont toujours simples quand on les reconsidère après coup.

Plusieurs fois, depuis la veille, surtout depuis ce matin, il n'aurait pas pu dire à quel moment au juste il avait été sur le point de comprendre.

Des coups discrets à la porte de communication le faisaient bondir.

— Je vous accompagne ? questionnait Janvier.

— Cela vaut mieux.

L'abbé Barraud était debout, très vieux en effet, squelettique, avec des cheveux fous, très longs, en auréole autour du crâne. Sa soutane luisait d'usure, avec des reprises mal faites.

Jaquette semblait ne pas avoir quitté sa chaise où elle se tenait toujours aussi droite. Seule l'expression de son visage avait changé. Elle n'était plus tendue, ne luttait pas. Elle n'exprimait plus le défi, ni la volonté farouche de se taire.

Si elle ne souriait pas, elle n'en était pas moins empreinte de sérénité.

— Je vous demande pardon, monsieur le commissaire, de vous avoir fait attendre si longtemps. Voyez-vous, la question que Mlle Larrieu m'a posée était assez délicate et j'ai dû l'examiner sérieusement avant de lui fournir une réponse. J'avoue que j'ai failli vous demander la permission de téléphoner à Monseigneur pour prendre son avis.

Janvier, assis au bout de la table, sténographiait l'entretien. Maigret, comme par besoin d'une contenance, avait pris place à son bureau.

— Asseyez-vous, monsieur l'abbé.

— Vous me permettez de rester ?

— Je suppose que votre pénitente a encore besoin de vos bons offices ?

Le prêtre s'assit sur une chaise, sortit de sa soutane une boîte de buis, aspira une prise de tabac. Ce geste, et les grains de tabac sur la soutane grisâtre, rappelaient à Maigret de vieux souvenirs.

— Mlle Larrieu, vous le savez, est fort pieuse, et c'est sa dévotion qui lui a dicté une attitude que j'ai cru de mon devoir de lui faire abandonner. Son inquiétude était que le comte de Saint-Hilaire ne reçût pas de sépulture chrétienne et c'est pourquoi elle avait décidé d'attendre, pour parler, que les obsèques aient eu lieu.

Ce fut, pour Maigret, comme un ballon

d'enfant qui éclate soudain dans le soleil et il rougit d'avoir été si près de la vérité sans parvenir à aller jusqu'au bout.

— Le comte de Saint-Hilaire s'est suicidé ?

— Malheureusement, c'est la vérité. Comme je l'ai dit à Mlle Larrieu, rien ne nous prouve cependant qu'il ne se soit pas repenti de son geste au dernier moment. Aucune mort n'est instantanée aux yeux de l'Eglise. L'infini existe dans le temps comme dans l'espace et un laps de temps infiniment petit, qui échappe aux mesures des médecins, suffit à la contrition.

« Je ne crois pas que l'Eglise refuse au comte de Saint-Hilaire sa dernière bénédiction. »

Pour la première fois, les yeux de Jaquette s'embuaient et elle tira un mouchoir de son sac pour les essuyer tandis qu'une moue de petite fille se dessinait sur ses lèvres.

— Parlez, Jaquette, encourageait le prêtre. Répétez ce que vous m'avez dit.

Elle avalait sa salive.

— J'étais couchée. Je dormais. J'ai entendu une détonation et je me suis précipitée dans le bureau.

— Vous avez trouvé votre maître affalé sur le tapis, la moitié du visage arrachée.

— Oui.

— Où se trouvait le pistolet ?

— Sur le bureau.

— Qu'avez-vous fait ?

— Je suis allée chercher un miroir dans ma chambre pour m'assurer qu'il ne respirait plus.

— Vous avez acquis la certitude qu'il était mort. Ensuite ?

— Ma première idée a été de téléphoner à la princesse.

— Pourquoi ne l'avez-vous pas fait ?

— D'abord parce qu'il était près de minuit.

— Vous n'avez pas craint qu'elle désapprouve votre projet ?

— Je n'y ai pas pensé tout de suite. Je me suis dit que la police allait venir et soudain j'ai pensé qu'à cause du suicide le comte aurait un enterrement civil.

— Combien de temps s'est-il écoulé entre l'instant où vous avez su que votre patron était mort et celui où vous avez tiré à votre tour ?

— Je ne sais pas. Peut-être dix minutes ? Je me suis agenouillée près de lui et j'ai prié. Ensuite, debout, j'ai saisi le pistolet et j'ai tiré, sans regarder, en demandant pardon au défunt et au ciel.

— Vous avez tiré trois balles ?

— Je ne sais pas. J'ai pressé la gâchette jusqu'à ce qu'elle ne fonctionne plus. J'ai aperçu alors des points brillants sur le tapis. Je ne m'y connais pas. J'ai compris que c'étaient des douilles et je les ai ramassées. Je n'ai pas dormi de la nuit. Le matin, de bonne heure, je suis allée jeter l'arme et les douilles dans la Seine, du pont de la Concorde. J'ai dû attendre un certain temps, car il y avait un agent en faction devant la Chambre des Députés qui semblait me regarder.

— Vous savez pourquoi votre patron s'est donné la mort ?

Elle regarda le prêtre, qui lui adressa un signe d'encouragement.

— Depuis un certain temps, il était inquiet, découragé.

— Pour quelle raison ?

— Il y a quelques mois, le docteur lui a conseillé de ne plus boire de vin ni d'alcool. Il était amateur de vin. Il s'en est privé quelques jours, puis il a recommencé à en boire. Cela lui donnait des douleurs d'estomac et il était obligé de se relever la nuit pour prendre du bicarbonate de soude. A la fin, je lui en achetais un paquet chaque semaine.

— Comment s'appelle son médecin ?

— Le docteur Ourgaud.

Maigret décrochait le récepteur.

— Passez-moi le docteur Ourgaud, s'il vous plaît.

Et, à Jaquette :

— Il était son médecin depuis long-temps ?

— Autant dire depuis toujours.

— Quel âge a le docteur Ourgaud ?

— Je ne sais pas au juste. A peu près mon âge.

— Et il pratique encore ?

— Il continue à voir ses anciens clients. Son fils est installé sur le même palier que lui, boulevard Saint-Germain.

Jusqu'au bout on restait non seulement dans le quartier mais entre gens qu'on aurait pu dire d'une même espèce.

— Allô ! Le docteur Ourgaud ? Ici le commissaire Maigret.

On lui demandait de parler plus fort, plus près de l'appareil et le praticien s'excusait d'être devenu un peu dur d'oreille.

— Comme vous vous en doutez, je voudrais vous poser quelques questions au sujet d'un de vos clients. Il s'agit bien de lui, oui, Jaquette Larrieu est dans mon bureau et vient de m'annoncer que le comte de Saint-Hilaire s'est suicidé... Comment ?... Vous attendiez ma visite ?... L'idée vous en était venue ?... Allô ! je parle aussi près de l'appareil que possible... Elle prétend que, depuis quelques mois, le comte de Saint-Hilaire souffrait de l'estomac... Je vous entends parfaitement... Le docteur Tudelle, le médecin légiste qui a pratiqué l'autopsie, dit qu'il a été surpris de trouver les organes d'un vieillard en aussi bon état...

« Comment ?... C'est ce que vous répétiez à votre patient ?... Il ne vous croyait pas ?...

« Oui... Oui... Je comprends... Vous n'êtes pas parvenu à le persuader... Il allait voir vos confrères...

« Je vous remercie, docteur... Je serai sans

doute obligé de vous déranger pour prendre votre déposition... Mais non ! Elle est très importante, au contraire... »

Il raccrochait, le visage grave, et Janvier croyait y lire une certaine émotion.

— Le comte de Saint-Hilaire, expliqua-t-il d'une voix un peu morne, s'était mis en tête qu'il était atteint d'un cancer. Malgré les avis rassurants de son médecin, il a commencé à se faire examiner par différents docteurs, persuadé chaque fois qu'on lui cachait la vérité.

Jaquette murmura :

— Il avait toujours été si fier de sa santé ! Il me répétait souvent, autrefois, qu'il n'avait pas peur de la mort, qu'il y était préparé, mais qu'il supporterait difficilement une infirmité. Quand il avait la grippe, par exemple, il se cachait comme une bête malade et évitait autant que possible que j'entre dans sa chambre. C'était sa coquetterie. Un de ses amis, il y a plusieurs années, est mort d'un cancer qui l'a tenu au lit pendant près de deux ans. On lui faisait subir des traitements compliqués et le comte disait avec impatience : « Qu'est-ce qu'ils ont donc à ne pas le laisser mourir ? Si j'étais à sa place, je demanderais qu'on m'aide à partir le plus tôt possible. »

Le petit-fils d'Isabelle, Julien, ne se rappelait pas les mots exacts que Saint-Hilaire avait prononcés quelques heures avant de mourir. Croyant le trouver heureux de voir son rêve près de se réaliser, il avait eu en face de lui un vieillard préoccupé, anxieux, qui semblait craindre quelque chose.

Du moins le jeune homme l'avait-il cru. Parce qu'il n'était pas encore un vieillard. Jaquette, elle, avait compris tout de suite. Et Maigret, qui se trouvait à mi-chemin, plus près des vieux que des élèves de la rue d'Ulm, comprenait aussi : Saint-Hilaire s'attendait, un jour plus ou moins proche, à être cloué sur son lit.

Et cela alors qu'un vieil amour, qu'aucune contingence pendant cinquante ans, n'avait terni, était sur le point d'entrer dans la vie réelle.

Isabelle, qui ne le voyait que de loin et qui avait gardé présente l'image de leur jeunesse, deviendrait une garde-malade en même temps qu'une épouse et elle ne connaîtrait que les misères d'un corps usé.

— Vous permettez ? dit-il soudain en se dirigeant vers la porte.

Il gagna les couloirs du Palais de Justice, monta au troisième, demeura une demi-heure enfermé avec le juge d'instruction.

Quand il revint dans son bureau, les trois personnages étaient toujours à la même place et Janvier mordillait son crayon.

— Vous êtes libre, annonça-t-il à Jaquette. On va vous faire reconduire. Ou plutôt, je pense que je devrais vous faire conduire chez le notaire Aubonnet, où vous avez rendez-vous. Quant à vous, monsieur l'abbé, on vous déposera au presbytère. Il y aura, les jours prochains, quelques formalités à remplir, des pièces à signer.

Et, tourné vers Janvier :

— Veux-tu prendre le volant ?

Il passa une heure avec le directeur de la P.J. et on le vit ensuite à la *Brasserie Dauphine* où il but deux grands verres de bière au comptoir.

Mme Maigret devait s'attendre à ce qu'il lui téléphone pour lui annoncer qu'il ne rentrerait pas dîner, comme cela arrivait souvent au cours d'une enquête.

Elle fut surprise, à six heures et demie, d'entendre son pas dans l'escalier et elle ouvrit la porte au moment précis où il atteignait le palier.

Il était plus grave que d'habitude, d'une gravité sereine, mais elle n'osa pas le questionner quand, pour l'embrasser, il la serra longtemps contre lui sans rien dire.

Elle ne pouvait pas savoir qu'il venait de plonger dans un passé lointain, d'un avenir un peu moins lointain.

— Qu'est-ce qu'on mange ? demandait-il enfin avec l'air de s'ébrouer.

FIN

Noland, le 21 juin 1960.

Achevé d'imprimer en mars 1988
sur les presses de l'Imprimerie Bussière
à Saint-Amand (Cher)

— N° d'édit. 5538. — N° d'imp. 3260. —
Dépôt légal : mars 1988.
Imprimé en France